KB105091

第一部世界语侦探小说
德国福尔摩斯神奇破案。

谋　杀
PRO KIO?

弗里德里希　威廉　埃列谢克　作
张伟　　　　　　译

谋杀(무엇 때문에)

인 쇄 : 2022년 10월 19일 초판 1쇄
발 행 : 2022년 10월 26일 초판 1쇄
지은이 : 프리드리히 빌헬름 엘레르지크(弗里德里希 威廉 埃列谢克)
옮긴이 : 장웨이(张伟)
표지디자인 : 노혜지
펴낸이 : 오태영(Mateno)
출판사 : 진달래
신고 번호 : 제25100-2020-000085호
신고 일자 : 2020.10.29
주 소 : 서울시 구로구 부일로 985, 101호
전 화 : 02-2688-1561
팩 스 : 0504-200-1561
이메일 : 5morning@naver.com
인쇄소 : TECH D & P(마포구)

값 : 10,000원(50CNY)
ISBN : 979-11-91643-73-2(04850)

ⓒ 弗里德里希 威廉 埃列谢克, 张伟
本书为作者的知识产权，禁止擅自转载或转载。
破损的书籍将被更换。

第一部世界语侦探小说
德国福尔摩斯神奇破案。

谋 杀
PRO KIO?

弗里德里希 威廉 埃列谢克 作
张伟　　　　　译

杜鹃花出版社

作者 弗里德里希 威廉 埃列谢克
(Friedrich Wilhelm ELLERSIE)

作者介绍：

弗里德里希 威廉 埃列谢克（1880年6月2日生于卡尔沃尔德，1959年12月23日卒于弗劳恩瓦尔德）是德国商人，世界语者，出版商和编辑。1909年埃列谢克主要工作是世界语出版商。他是《德国世界语者》和《世界语－实践》杂志的编辑。此外他还是世界语学院语言委员会的委员。作为《全球新定义》旅行社的负责人埃列谢克实际运用世界语每年组织团队参加国际世界语大会。《因为什么（谋杀）？》世界语原创小说以笔名阿尔古斯于1920年发表；

多篇世界语原创文章和翻译作品发表于他自己编辑的杂志。

多篇随笔见于《世界语－实践》杂志.

Pri la verkisto: Friedrich Wilhelm ELLERSIEK [Elerzik] (naskiĝis la 2-an de junio 1880 en Calvorde, mortis la 23-an de decembro 1959 en Frauenwald/Rennsteig) (ps. Argus; Eko k.a.) estis germana komercisto kaj esperantisto, eldonisto kaj redaktoro.llersiek laboris ĉefe kiel Esperanta eldonisto de 1909. Li estis redaktanto de Germana Esperantisto kaj de Esperanto-Praktiko. Li krome estis membro de la Lingva Komitato (LK) kaj de la Akademio de Esperanto.

Kiel ĉefo de vojaĝoficejo Transmondo-Reisedienst Ellersiek praktike uzis Esperanton ankaŭ por aranĝo de ĉiujaraj karavanoj al Universalaj Kongresoj (UK).

(sub la pseŭdonomo Argus): Pro Kio? Originala romano, 1920;

Multaj originalaj artikoloj kaj tradukaĵoj en siaj gazetoj.

Babiladoj en la gazeto "Esperanto-Praktiko".

目录

Nova Esperanto-Biblioteko

No 5

Argus

Pro kio?

Internacia kriminal-romano
originale verkita

Berlin S 59
Esperanto-Verlag Friedrich Ellersiek

第一章 抢劫谋杀

"抢劫谋杀，没有任何线索，立刻派有经验的侦探来 — 市长。"

旋即，这封电报直接送到了柏林警察局总部，警探长冯－莫腾和他的助手克鲁斯侦探立刻出发前往犯罪现场 — 小城阿登堡，电报就是这个城市的市长发出的。大约下午三点他们到达阿登堡，这个城市不大，他们很快见到市长，同时他也兼任当地警察局长。

"我们遇到了一个神秘的案子"，寒暄过后，市长说道。市长是一位亲切随和的老先生，谋杀案给他带来了很大的压力。

"尸体是在一个口袋里发现的，是一位年轻漂亮的女士。关于这起谋杀一点线索也没有，哪怕是微小的痕迹。你们这是接到了一个棘手的任务啊，先生们。"

"尸体在哪里发现的？"莫腾警探长问道。

"在距离这儿大约一小时车程的一片树林里。地方检察官刚从那里回来，也给检查厅发了电报。但厅检察官可能明天才能过来，如果能来的话，现在就在这里了。"

"什么时间发现的尸体？"

"今天上午七点左右。"

"谁发现的？"

"护林员詹森，或者更准确地说是他的狗，它把他带到尸体现场的。"

"尸体很新鲜，奥斯汀法医认为凶杀可能就发生在当天夜里。多么年轻，漂亮的女士啊！真是太可惜了。"

"能尽快给我们安排一辆车吗？我们想尽快到达现场。尸体还在那里吧？"

"当然还在那里。我已安排了警察在那，宪兵似乎也在那里。我给司机索姆打电话让他开车？"
"太好了。"
市长去打电话很快返回告诉他们车在一刻钟以后到。
"您陪我们去吗，市长先生？"
"如果有必要，可以。"
"也不是必须，但还是希望那样，因为如果遇到了什么问题，我必须向您咨询有关信息。"
"哦，好，我们一起去。"
汽车到了，他们驱车穿过这座小城的颠簸的狭窄街道，然后沿着公路，先路过一片农田，荆棘丛，穿过一片树林，停在林中小路，又从这里行进了大约一刻钟，最终他们放弃了车子，开始步行。在密林深处的地上看到了一个包裹，里面就是尸体，警察守在旁边。那个宪兵回家写报告，一会儿回来。
莫腾警探长小心地打开包裹，认真地检查这具裸体女尸，观察了很长时间后，市长问，"发现了什么有价值的东西吗？"
"死者是属于上等社会，寡妇，收入稳定，最近或者至少不久前待在南欧，应该是盎格鲁女人，忙于写作。"
"您是怎么看出来的呢？"
"很清楚，你看精心护理的手和脚。双手护理的这么好很常见，但是把脚趾甲护理的也这么好的人一定是在社会高层圈子里，这一般都是有专人护理的。这里，看！"他拿起来一小条精美的黑色的纤维，这块几乎看不见的纤维是在死者左脚第二和第三个脚趾间露出的。"这是什么？"
"一小条纤维"，认真看了一会儿后，市长说到。
"非常正确，那么来自于什么织物呢？"

"我可不知道是什么织物。"

"是蚕丝。"

莫腾警探长从兜里取出一个放大镜递给了市长。"她一定穿着丝袜，显示出她的阶层。现在你再看这只脚，能看出什么呢？"

"我看不出什么，我得承认。"

"除了脚底以外，全脚没有一处哪怕仅仅是一小块有硬茧的地方，说明这个女士总是穿着非常合脚的鞋。根据这一点，他从不在百货商店买鞋，而是根据尺寸定做。这是很费钱的，说到这一点，她一定收入不菲，丝袜也很贵。"

"非常正确。那么为什么说她是盎格鲁人呢？"

"这一点我还不敢断言，但是非常像。让我们再看一遍这只脚，脚非常能说明问题。脚底是平的，如果她像其他大多数女性一样穿着高跟鞋，脚底就不会是平的了，那样脚会变小。通常高跟鞋会使脚弯曲，前部会便低，像大部分中国的小脚女人那样。在她这里没有任何这样的特征。大多数盎格鲁女性已经摆脱了这种笨拙的模式。这位被谋杀女士丰满明亮的金黄色头发，优雅有光泽的脸庞　也都是在盎格鲁女人中所常见的。而且这位女士的脸庞，脖子多少有点晒成棕色了，而双手却是白色的。如果稍微有一点棕色那一定是我们这个地区的阳光所致，因为现在是三月份，太阳已经好久没出来了。她应该是住在南部在意大利或者里维耶拉。如果他住在热带地区的太阳下，棕色会更明显。"

"这一点现在我也清楚了。"

"现在我们看看她的手。在她的右手的无名指上环绕了两个一样的明显的沟纹，靠近手掌这个不太明显，靠近指尖这个比较清晰。这个女士一定戴了两个结婚戒指，前面那个是他自己的，很适合；后面那个是他去世丈夫的，这个戒指很明显比较大；正是因为这一点才从她的手指上"滑"走了，留下了不太明显的痕迹，所以断定她是一个寡妇。"

"那么关于写作的职业呢？"

"这一点是这样证实的，她右手中指一侧的皮肤稍微有一点硬茧，这是由于写作，手握钢笔压迫手指所致。现在在说一下这个装尸体的袋子，正像你看到的，上面有B．K．附近存在有这个名字的农场主吗？"

"据我所知没有，也许袋子是凶手带来的吧。"

"这个袋子可能是卡诺夫农场的。"一直在认真听的警察插话说。

"农场离这里近吗？"

"哦，我想不近，大概。树林前面那块地属于农场的。"市长手指向东面答道。

"在那个方向，我看，有铁路也从那经过吧？"莫腾警探长问。

"是的，距这里大约半个小时，不太远，或者最少一刻钟。"

"大约只有一刻钟。凶手不能在这个地方把尸体装进袋子里面，在这尸体会很僵硬了，他装尸体的时候关节还是软的。这个袋子应该是有人丢弃在地里，他看到后大概才想这么干的。尸体左侧脸颊皮肤上的伤痕大概是在谋杀后尸体被立刻从车厢里面扔了出来所致。那面就是路基的斜坡吧？"

"是那个地方，不高。但皮肤上的伤口不会是在把尸体往袋子里放的时候造成的吗？"

"如果是那种情况血就不会再流出来了。但是脸上这里现在只有一点血。此外，袋子里面应该有血迹但是现在没有。"

"那为什么手上没有皮肤受伤呢？"

"因为这个女士带着手套，因为下落并不重而没有受伤。现在我们要在天黑前搜索到证据。"

莫腾警探长穿过树林来到树林边缘，然后和克鲁斯一起开始勘察这个地方。地上满是融化的雪水很泥泞，先前的鞋印也仍然清晰可辨。突然莫腾停了下来，"凶手的鞋印在这。"他说。
"您是怎么看出来的呢？"跟在后面的市长问道。
"看，压的多深！从这个鞋印可以看出负荷很重，而且这不是护林员或者附近农民的鞋印，一定是有良好社会地位的人，这个鞋印可以显示出是高档鞋。"
警探长低下身体，在地面上准确的测量这个压深的鞋印并画了草图，然后沿着鞋印向后穿过田地。"就是在这里凶手脱下了死者的衣服，把她装进了袋子里。"他说着来到一个地方，这里仍然还有几个半满不满的袋子，田地被挖开了很多。"仔细地搜查这个地方，克鲁斯！看是否能发现什么，我沿着脚印继续往前看看。"
警探长循着鞋印，按照他的推断来到了铁道线的斜坡下，但这还不是终点，鞋印沿着铁路线斜坡的旁边延伸。凶手很明显是从附近的阿尔滕堡火车站过来的，他先是从车厢里把尸体从这里推下去，在阿尔滕堡下车，离开列车然后返回这里。
"从阿尔滕堡火车站到这里有多远？"探长问市长。
"至少要10分钟。遗憾的是从火车站到市内却很远，半个多小时。"
"他是快跑过来的。"探长继续说着，没有注意市长的神情。
"您是怎么知道的？"
"前脚的压印明显比脚后跟的深很多，很容易能看出在快跑，因为他害怕巡线员在巡视铁轨的时候看见，或者其他的什么人看见尸体，虽然他选择抛尸的地点很好。低矮的松针叶树种植在旁边，可以阻挡泥土滑动到铁轨和白雪降落到铁轨，这时就足以遮挡住尸体了。我们还要到车站做进一步的调查，但现在趁着太阳还没落山，我们沿着脚印到另一侧去看看。

他们来到了克鲁斯仍然在认真勘察的地方，并没有打扰他，只是问了一个问题，警探长然后就沿着凶手的脚印前行，在潮湿的田里脚印很容易识别。

脚印一直通向一片灌木深处，尸体就在这里。这个地方是很难找到的，一些人，特别是那些愿意看热闹的人听了护林员讲述了他的发现后都来围观。所以探长先把这个地方圈了起来，然后绕圈走了大约20步，又走了40来步，同时认真的观察着远处铁路那一侧，在这上面他又看见了已经熟悉的深脚印。他立刻又用画好的草图比较确认了这些脚印。现在他又沿着脚印继续前行，来到与公路夹角的地方。从这里脚印仍在延伸，直到被许多人走的硬路面脚印才不再清晰了，而且越来越少，夜晚的黑暗已经开始了。

"现在应该认真勘察抛尸的地方了。"

"但是已经太黑了，警探长先生。"

"我们带了手电筒。"来到铁轨路基这里，脚印开始斜拐，警探长打开手电筒，开始认真的勘察。损坏折断的枝条印证着抛尸地点，在一根枝条上吊着一小条灰黄色的布条，探长取下把它放在了他的物证口袋里。在一个高一点的蒿草上他又取下了一块小纸片，纸片上的一面给他带来了惊喜：

Te
Fakt
p
Sinjorino A （A 女士）

Granda Hotelo（大酒店）

在这几个字的最下面明显看出来纸片是从本子上撕下来的，在另一面有几个铅笔写下的字符："T. 11. 40, L. 5. 29."

只有这些了，尽管下了很大的力气搜索，没有发现其他东西。

"你认为这有什么价值吗？"市长以一种没什么希望的神情问。

"当然，这个小纸片对于找到凶手是极为重要的，这个小布条应该无疑是从被害人衣服上刮下来的；对于您当然没有用了，"警探长笑着回答。"您今晚就会看到我从这些东西所得出的结论。现在去火车站。"

昨夜值班的车站助理只有明天夜里值班才回来，但是负责在站台检查和收票的一位普通职员正在值班。

"你能回忆起昨天夜里谁从这下了火车吗？"探长问他。

"快车停在这里都是那些贵族们来打猎从这里下车，因为没有来打猎的，所以没有人下来，因此快车也没停。"职员回答。

"当然；那么慢车呢？"

"嗯？"

"有慢车在夜间通过这里吗？"

"每个方向都有一趟。"

"我主要问是从莱宝站发过来的那趟车。"

"森林助理和一个外国人从这里下了车。"

"那个外国人长什么样？"

"我真没有太认真地观察，他是一个高瘦的先生，仍然年轻，大约三十岁，黑胡须很重，戴一副蓝眼镜。是的，说话有点怪怪的。"

"你跟他说话了吗？"

"是的，他的车票到这里不是终点。他问我是否可以终止继续旅行，或者有必要在车票上注明临时下车。"
"这个票是到什么地方的？"
"我想不起来了。"
"再好好想想。"
这位职员又想了好久，最后说："我真的想不起来什么了。"
"是个大的车站吧？"
"想不起来了。"
"如果你想起来车站的名字，请立刻告诉市长先生，这非常重要。你刚才说，他说话有点怪怪的，怎么样的怪？"
"嘴，有点大，说的话，很慢，一定不是德国人。"
"是不是这样：中途下车需要登记一下吗？"
警探长用英式口音说出了这几个词。
"是的，确实是这样说的。"
"你白天又看见他了吗，或许他又继续乘车旅行了？"
"没有。"
"你确认吗？"
"真的确认。"
"除了值夜班，白天你也是总在站台值班吗？"
"是的，夜班不是太辛苦，我可以睡觉，当有火车到达时，总值班会叫醒我。"
"那个外国人也和车站助理说话了吗？"
"没有，下车后他立刻奔向了我。"
"好，非常谢谢你。"
警探长和市长又回到克鲁斯那里，他汇报只是发现了一个小的钢制的戒指，可能有多种用途；有一点变形，警探长把它放进了自己的衣袋里。然后他命令把尸体和原来发现时装尸体的袋子一起放进他们驶来的车里，在市长和克鲁斯助手陪同下返回市内。

警探长正深深的思考，被市长的问话打断，他问他是否认为车站职员所说的外国人就是谋杀的凶手。

"非常有可能，我们很快会确认这一点。"

"怎样确认？"

"我们应该调查，昨夜在市内是否有外国人投宿。"

"宾馆和民宿都没有，我已经调查了。"

"哦，很好，这节省了我很多时间。但，附近的村庄和农场呢？"

"也没有，宪兵在午饭前已经搞清楚了，他是骑马在附近各处调查的。"

"太好了！现在我们确认，这个外国人就是凶手，或者，至少，他和这个谋杀是有关系的，如果确认是谋杀的话。"

"这是毋庸置疑的。"

"我们应该等解剖结果，法医非常有信心查明死亡原因。"

"我们这里的主任法医是非常有能力的。"

"这样我太高兴了，对我来说死亡原因太难于理解了。在尸体身上找不到外伤线索，所以死亡的原因是其他的方式而不是外伤的作用。那么是什么方式呢？中毒会引起痉挛的出现，在脸上会留下痕迹。但是这个女死者的脸上却是那样平静，好像就是在睡觉。

"嗯，那还有什么原因导致死亡呢？"

"这仍然是一个迷，解决的方法就是把希望放在解剖上了。主任法医今天晚间会验尸吧？"

"他已经说了，一定做完，因为尸体器官时间长了会发生变化不利于查出死亡原因。"

"他说的对。"

"凶手应该是坐快车到了离这里最近的车站下车，然后坐慢车返回这里。"

"无疑，准确选择了靠近火车站的这个地方，然后飞速返回这里，精心策划了这次谋杀。"

"只有一件事我不明白：为什么他不买到这里的票，而是买很远的车站的票？"

"为了不暴露作案的痕迹，似乎这件事暴露的比他预料的要早，当然早晚要暴露。"

"那后来他去哪里了呢？"

"一定是去最近的宝莱车站。"

"为什么不往相反的方向走呢？"

"正像我们知道的，他带走了死者衣服等所有的东西；也许他从车厢里把她的钱包也扔了出去甚至他自己的，然后又捡了回来。死者无疑属于上流社会的圈子，这样的女人长途旅行时不只带了一个钱包吧。她一定还托运了一个或几个行李箱或其他旅行用的包裹。他要尽快把这些包取走，这样在任何情况下都不能使这些包被用来查明死者的身份。也还是这个目的他才扒光死者的衣服装进包里带走，这样就不好查明身份了。但他这样做仅仅是为了他自己的安全，亦或还有其他目的？这个问题我现在还不能回答"

"我也不能。"市长说。

"我相信。"警探长笑了。

"你现在要进一步跟踪凶手的线索吗？"

"当然。"

"但是，那样你应该去最近的火车站。"

"首先仍然有另一项调查是有必要的。这里哪有时刻表？"

"黑鹰酒店老板那里。"

"好，我们去那里。"

到了黑鹰酒店，警探长立刻让人送来了时刻表，他在上面仅找了几分钟就放下了。

"哦？"市长问。

"那些在看着我们的人都是什么人？"

"是我们城里的一些中产人士。"

"他们中没有外国人吗？"

"没有。"

"市长先生，请千万小心甚至是对熟人也不要透露你所知道的有关谋杀案件的情况。记住，我和您说的一切都是工作机密，即使最小的疏忽都能产生极为不利的后果。克鲁斯再靠我近点。"

探员克鲁斯迅速靠近警探长身旁。"坐最近的快车到特普利兹，因为这趟车不在这里停靠，你应该先坐慢车到莱宝车站。明天上午调查这张发票是特普利兹那家酒店开出来的。"探长把从铁路路轨旁边找到的小纸条递给了詹森克鲁斯探员。

"你从哪里知道这个发票是特普利兹的？市长问。

大部分旅客尤其是女士在他们旅行出发前都会注意出发和到达的时刻。尸体被扔出来的那个快车在特里普茨与普通列车交会，晚间11：40出发。所以发票是从特里普兹来的，我刚才对照了一下，上面标注了那个时间。但是5：29—也就是另外在字母L后面标注的数字即列车到达莱比锡的时间。

在那里凶手似乎应该去拿旅行行李，我也要去那里。到去往莱宝的普通列车出发时刻我们还有两个小时。让我们用这个时间吃饭吧，或许这期间解剖的结果会出来。"

"主任法医在尸体到达后就立刻开始了工作。"市长提醒到。

"或许我们应该告诉他一旦确认死亡原因就立刻通知我们。"

"当然，我派人通知他？还是我亲自去吧。"

"当然您去最好了，虽然我还是不愿意放弃您这么友好地在这陪我们。"

市长礼貌地点头离开，过了半个小时回来了。

警探长期待的看着他。

"不是谋杀"，市长向他低声说。"至少解剖的结果不是这样。"

"我已经设想过这个结果，能请您带我去见见主任法医吗？"

"当然愿意了，但不会有用，他非常肯定地跟我表述的。"

"哦，我们去看看吧。"

主管法医非常确认，他没有发现一点暴力致死的痕迹。根据他的意见，死亡很有可能是心肌梗塞所致。

"心肌梗塞能在吸入过量的三氯甲烷后发生吗？"探长问。

"当然，你为什么问这个问题？"

"我知道，在牙科医生用三氯甲烷麻醉剂做手术的时候，都会请药剂师在场，因为过长时间，或过深的麻醉是危险的，甚至导致死亡。诺，在检查装尸体的包裹时，我闻到了一种奇怪的不是很强烈的甜味，有三氯甲烷的特点。现在还能在她的肺里检查出三氯甲烷吗？"

法医思考了一会儿。

"应该可以的"，他后来说，"如果先吸入了足够的三氯甲烷，再吸入三氯甲烷会发现肺里面有血。让我们证明是否人为吸入的吧。"

证明没有成功。似乎在搬运期间或者包裹里尸体的胸部受到压力，存在于肺部的空气排了出来。

"但是血液中的三氯甲烷似乎仍然可以通过化学方法查验出来！"主管法医突然喊了出来。

"虽然血已经凝固好久了。"

"是这样，凝固阻碍了变质，很遗憾我不是一个有足够能力的化学家。但是我们药房的一位药剂师助理是一个这方面有经验的先生。我给他送一片有动脉血的切片和主动脉切片请他立刻开始检验。"

"法医先生，我请求您立刻安排，遗憾的是我不能等到出结果了，时间紧急，我要立刻去莱比锡。"

"您什么时候回来？"

"还没有确定，我应该追查凶手的线索。"

"您能很快发现他吗？"

"我当然希望那样，虽然我一点也不怀疑他一定像其他的凶残罪犯一样的狡猾。"

市长静静而又惊奇的听着，然后同警探长一起先去了黑鹰宾馆，之后又陪同这两名刑事专家去了火车站。

火车很快就来了，警探长和助手发现包厢没人，他们自然地谈起了目前的情况。"立刻按照我说的去做，从来没有容易的调查，克鲁斯"，警探长说，"随后到莱比锡火车站，先查询我是否在霍费尔酒店。并在那里立刻打电报汇报你调查的结果。如果我没在那个酒店不用留下信息，就在那等我。"

"我执行命令，特派员先生，我仍有权问一个问题吗？"

"可以问所有你不清楚的问题。你要清醒认识到揭开犯罪的每一步的内部关系和方法，基于这些你完全能够成为一个有能力的刑事警察。

"特派员先生希望在莱比锡抓到凶手吗？"

"不，他非常狡猾不会在那停留很长时间，拿到旅行包，有可能拿走一部分。我希望能在莱比锡进一步确认被害人的身份。她右手中指那块不大的硬茧可以得出结论她是一个职业的写作者，或者说是一位女作家，她到莱比锡似乎应该是与出版商谈出版的事情。这一点你清楚了吗？"

"完全清楚了，特派员先生。"

"通过出版商我们应该能知道谁在与安妮女士联

系，根据宾馆发票碎片可以判断这似乎是死者的名字。或者谁打算和她联系，此外，她是谁，她来自哪里，等等。或许你在特普利兹比我在莱比锡知道的要早。尽可能准确地把关于这位女士的每一个细节都发给我。"

"我一定做好这一切，收集到关于她的详细的材料。"

"好，如果你在那里发现了更多的线索即刻用电报发给我然后等我电报或邮局留交的命令，是否跟进线索或者停止。你身上的钱还够吗？"

"用几天还足够。"

"诺，这是三百马克。"

很快，他们到达了莱宝站，下车后，快车很快到达，就是24小时前可怜的的年轻女士搭乘的快车。探长进了二等车的一个包厢，找到了一个舒适的角落。由于一整天的忙碌，他很快就睡着了，到了莱比锡才醒。

第二章 特普利兹的调查

去出版社调查这个时间还是太早。为了不浪费时间，探长在行李领取处向经理证明了自己的身份后问，24小时以前的快车发来的行李，时间稍微长了点，是否取走了。询问了所有的职员后得知，大部分行李都拿走了，其中一位职员还清楚的记得，从特普利兹来的那些行李中有一件特别大。

"谁来取走的？"

"酒店专职取货或者其他什么人吧，他戴着酒店的帽子。"

"你知道是哪个酒店吗？"

"不知道，我们没太注意这个。"

"他是怎样带走那个行李的？"

"用出租马车呀。"

"是火车站前面等活的那些马车吗？"

"不是，他是坐着马车来的。"

警探长立刻来到警局用电话询问了各个酒店，是否有服务人员去德累斯顿火车站取走过一个大的行李箱。最好查询到是在普鲁士酒店，他立刻赶了过去。

由服务员帮助取行李的那位客人下午就继续旅行了，服务过他的马车夫说他去了柏林火车站。

沿着这个方向调查下去似乎需要大量的时间，而且也不会有什么结果。基于这一点警探长又返回了警局请协助调查那些有名的出版商，其中是否有和名字叫安娜的女作家有合作的。期间他又再一次去了普鲁士酒店认真的搜查了那位取行李客人的房间，但是，没有发现任何东西，哪怕是非常小的线索也没有。

警探长又回到了警局，对出版商的询问全都是负面的结果。没有一个出版商与名字叫安娜的女作家有联系或者等候她来访问的。探长又重新审视了一下他自己的思路，女死者是作家，仅仅由于职业的目的来访问莱比锡，但是他又没有发现更好的结论。

从阿尔滕堡的主任法医来电报得知，已经查明三氯氰胺侵入了血液中。根据这一事实医生毫不迟疑的断言，正是某种烈性毒物凭借这种物质是导致死亡的原因。但是覆盖秘密的面纱仍然没有揭开。

思考了一会，莫腾警探长想能否建议向公众承诺如果谁能提供凶手的线索就发给谁奖金呢？虽然那晚很黑他带着受害者的衣物去附近的火车站也仍然能有人看到的。但是那位铁路职员提供的的材料非常不准，作为对认出凶手最基本的帮助没什么价值，希望这样获得可信服的材料同样不多。除了这一点，凶手的线索似乎到这里就丢失了。

莫腾警探长从多方面观察了整个事件，他越思考，就越坚定地确认这是一起凶杀案的想法是正确的。如果能找出受害人的独特的个性对发现凶手的破绽和踪迹就有希望了。但是为什么这样的努力却找不到线索来支持他的判断呢？仅仅是由于他做的太完美了吗？不！他扒掉死者的衣服装进口袋里，因为这些衣服对他是极大的威胁和危险，他只有把这些东西拿走才很难鉴定出死者的身份，例如她手帕中的第一个字母，她的手表，贵重物品，笔记等等。他一定有极为重要的原因来阻碍对死者个性的调查。

但是什么样的原因呢？关于这一点现在还不能做出判断。警探长叹了口气，等待着克鲁斯从特普利兹的电报。终于来了，电文是这样："是爱丽丝—不是安娜—来自芝加哥的史密斯住在

《古城大酒店》这里。在酒店里没有找到关于她的更详细的信息，我继续调查。"

爱丽丝史密斯来自芝加哥，这就像玛丽迈尔来自柏林。在芝加哥有成千上万个英美人叫这个名字分散在各处。

在特普利兹莫腾警探长应该做进一步的侦察，这是必须的。但是在开往特普利兹最近的火车出发之前，他要再一次调查出版商询问关于爱丽丝史密斯的事情，他突然觉得有必要让警局帮一下忙。警局很快就给他传来了消息，出版商阿弗莱德贝格正在等候叫爱丽丝史密斯这个名字的女士。

他立即来到这个出版社很高兴的遇见了这位出版商。

"很遗憾我也不知道关于这位女士更多的细节"，贝格先生回答警探长提出的问题。她写了一本社会政治倾向方面的小说，她建议我能给出版。她聪慧而有趣，并且表示不需要太高的酬金，我准备接受。我们双方一致同意她来这里，签订最终的合同，商谈每一个细节，但她始终没有来。

"我能看看她寄过来的手稿和信件吗？"

"当然可以。"

贝格先生取来了手稿等递给了警探长。无疑手稿和信件都是一个人的笔迹，信件写在浅蓝色的亚麻纸上。手稿是四个很厚的笔记本，是通常学校里使用的笔记本。头三本都一样没什么特别之处；第四本好像与其他三本有点区别，在封面的第二页上能看出贴上去的特普利兹纸品商的标签。警探长把商店地址记了下来，然后把手稿还给了贝格先生。

"我能暂时带走最后一封信吗？"探长问。

"当然，就是这封信说她很快来这里，你要用多久你随意。"

警探长谢过这位聪明的出版商，并仍然请求出版商了解一下爱丽丝史密斯是否在什么地方出版过英语的出版物，把结果报告给柏林警察总部。然后警探长回到霍菲尔酒店取走行李立刻去往特普利兹。

****

到达特普利兹后，莫腾警探长首先找到他的下属克鲁斯，电报里克鲁斯已经告诉了酒店的名字。

"诺，克鲁斯，有什么新进展吗？"

"很遗憾，没有，特派员先生。只是知道：史密斯女士在这个酒店里接待过一位女朋友，关于她，很遗憾我也不知道更多的信息；还有，在史密斯离开特普利兹的那天上午，一位男士，似乎是和她一个国家的，因为他们只说英语，来看望她，他们在阅读室见了面，后来一直在一起了。"

"哦，这很重要。先说第一件，这个女朋友：她也住在这个酒店吗？"

"不住这里。"

"那么住在哪里？"

"没人知道。"

"外表什么样？"

"健康，金发，优雅服饰，泰然自若的举止。"

"她在这停留很久吗？"

"有几周，这么长时间她只是来宾馆这里看望史密斯小姐。"

"好。其他的我们一定会知道。现在说说那位先生：你都对他了解了什么？"

"同样非常健壮，同样的优雅的服装，黑而短的头发修饰的很好，高前额，稀疏的络腮胡子。"

"没有上唇须吗"

"没有。"

"在这种情况下，或者他不是凶手，或者，当他穿过站台时候带着假胡子，这样不会令人诧异。他带着蓝色眼镜就不仅仅是为了避免被认出。你知道他住在什么地方吗？"

"遗憾，不清楚。"

"我猜想，他来这里就是为了带走受害者，因为他知道了受害者要去莱比锡的意图。关于这个女朋友的信息，你都采取了什么步骤调查？"

"我在一些酒店和大一点的公寓询问了一下是否有外国人的情况。"

"继续调查这个，我向其他方向调查，两个小时后我们还在这里见面。"

"执行命令，特派员先生。"

莫腾警探长去找那个纸品店，地址就是他在莱比锡记下的，在特普利兹的舍瑙小城。

"你能记住有一个美国女士头些日子从你这里买了这样一个本子？"探长问女店员，指着与手稿的笔记本是一样那些笔记本。

"那么多女士来我们店，没人能记住那么准确的一个人。"

"诺，现在不是高峰季节，顾客不会那么多，这件事对我很重要，我要得到这个女士的信息。如果你能给我提供信息，我会付给你一点报酬。那个女士金黄色头发，似乎穿着灰黄色的丝绸面料的服装，可能丧偶，因为戴着两枚婚戒，一枚挨着一枚在右手无名指上，住在《古城酒店》。"

女店员仔细的思考了一下突然说，"大概几天前她和一个很健硕的先生来过这里，她和他说的是英语，买了金色铅笔。"

"是否买了金色铅笔我不清楚，关于那位先生，这一点可能是对的。他的脸面胡子稀疏，没光泽，是吗？"

"是的。"

"那么，他叫什么名字，在哪里住，你似乎不知道吧？"

"不知道，我只看见过他那一次。但，如果你要问那位女士，她现在可不在这里了。因为她说，她晚上就离开，那是前天说的。"

"那也是对的，此外，你好像懂英语，对吗？"

"我能说一些英语和法语，在特里普茨这个沐浴地区这是很重要的。"

"或许她和那位先生的对话，你能听懂一些吧？"

"我没注意那个，我不感兴趣。"

"可以理解，但是可能你仍然可以记得她和那位先生说话很亲密吧？"

"是的，非常亲密，他对她非常殷勤像一个骑士。唉，她叫他弗朗哥。"

"哦，这可很重要，其实那个弗朗哥先生是个猎艳高手，已经有不止一个女人上当了。"

这样不绕弯子的评论要比承诺的小费起了效果。女人这方面的心都是相通的，他们对这种关系的感受程度远大于男人。

"而且她表现的很迷恋他，"漂亮苗条而又热心的女店主说，"他们几乎就是那种真正的恋人。而在其他情况下她就表现得很高傲，她和另外的一个女友说话的时候就是这样。"

"和谁？"

"她称呼她艾迪特，而且他们似乎是非常要好的朋友。艾迪特和她还有一点像，但仅仅是一点。她称呼她为爱丽丝，对。但是除了名字，我什么都不知道了。"

"可惜，这对我太重要了。"

"但是艾迪特住在哪里我知道，住在德根公寓。有一次我去给她送过信纸和信封，她也经常来我这里买风光明信片。"

"你大概知道她往哪里邮寄这些东西吧？"

"当然是寄往国外了，因为她总是使用十芬尼的邮票；大概是寄往美国。"

"这可能是。艾迪特最近来过几次这里吗？"

"没有。"

"如果她再来，麻烦您请她留个地址，就对她说，她的女朋友爱丽丝出事了。"

"愿意效劳。"

"如果她询问谁要知道她的地址，就把我的名片给她。"警探长把自己的名片装进信封并且封好后，递给了女店主。在把承诺的介绍费也付给她以后警探长就离开了纸品店，去了德根公寓。

莫腾警探长查明德根公寓的主人是玛蒂尔多德根女士，通过她很快确认艾迪特麦克肯农女士来自芝加哥。但是遗憾的是前天上午她离开了公寓。临走的时候她说她打算去看望她在德莱斯顿的一个女朋友，但是没说地址。

仍有一个机会存在：至少她们两位女士中的一位在邮局留下了通知，会有邮件寄到那里。

很遗憾这个希望也消失了：邮局已经关门，邮局主任应莫腾警探长的请求中断休假回来找那个通知，但没发现什么。

警探长完全清楚地知道，为了找到凶手，他首先应该查明这位凶手和爱丽丝史密斯的关系，而最接近也可能是最唯一的方法就是找到这位女朋友，艾迪特麦克肯农。但是说起来容易做起来难；虽然不存在她要躲起来的理由，但是也缺少其他的一些她的信息，除了知道，她要去德莱斯顿看望她的一位女朋友，她会在哪里呢？

警探长又一次来到纸品店，要来买和埃里克曾买过的一样的铅笔。他发现纸品店已经关门了，但是，因为店主人的住地非常近，这是他上次问过的，于是就去找他了。可以理解为了商店的利润，店主人都是随时准备营业的，店主人安排住在附近的女店员又去了店里满足了警探长的需求。

然后警探长回到了宾馆，克鲁斯正在那里等他。对普通职员的调查没有什么成果，两个人一起去了火车站准备坐夜车去德莱斯顿。

第三章 寻找编辑

到达德莱斯顿后二人立刻去当地警局寻求帮助，确认是否有从芝加哥来的艾迪特麦克肯农进行了住宿登记。结果她确实来了德莱斯顿但已经又离开了，不知道去了哪里。她住的酒店名字是《德莱斯顿内施塔特太子酒店》"。
二人即刻去了酒店，门童清楚的记得这位漂亮而又大方的年轻女士，他给她找了马车去往席勒大街。
"你仍能记得席勒大街几号吗？"
"对不起，我记不住号码了。"
"那载她的马车的号码能记住吗？"
"就是停在对面街道的马车呢。"
警探长找到了马车。
"昨天你送一位女士从这里到了席勒大街"，他询问马车夫，"你还能记住她去的那个地方的号码吗？"
"大概是25号！"
"那位女士和你一起回来的吗？"
"是的。她让我等她10分钟；但是到了时间后她没有出来，我刚想要离开，也就是超了5分钟吧，她从那个房子里出来了。"
"然后你又直接给她送回酒店了吗？"
"是的。"
"你只送她一次吗？"
"只有一次。"
"好！现在也给我们送到席勒大街25号吧。"
他们穿过霍普特大街，阿尔伯特广场，宝辰那大街，大约10分钟后到达了目的地，警探长也让马车夫等着他们。
席勒大街上的每一个建筑都是一样的，25号也是一个别墅，矗立在一个花园中，一共三层。

这里的住户不多，所以调查并没有持续很长时间。

别墅主人住在地面一层，他并不认识艾迪特小姐，同层其他几户也不认识。大概艾迪特小姐访问的是住在二层的靠退休金生活的退役上校冯戈斯多夫先生，他前不久刚结婚。据房主人说，他离开去一个叫埃尔福特的地方，出售属于他的一处房产。但是他的妻子住在附近韦伯赫希的《费伯医生疗养院》"。

因为去那个疗养院最便捷的是乘坐电车，所以莫腾警探长付了马车夫车钱后，和副手克鲁斯就乘电车出发，来到疗养院。疗养院的门卫肯定地说，冯戈斯多夫女士就住在这里。警探长请人通报后，冯小姐请他到会客室等候，时间比较早，这里没什么人。

在会客室　莫腾见到了这位女士，中等身材，体型完美，举止得当，睿智的脸庞透露出自信干练。"我的女朋友艾迪特也在这里。"听到莫腾介绍他此行的目的后，她立即说道。"她可不是病人，就是来看看我，跟我住几天。为了舒适便利，她住在这里的瑞士公寓里面诊疗室旁边的一个房间里。你要跟她说话吗？"

"这对我可太重要了，女士！"

"这个要求很容易满足！"

她起身离开，过了一刻钟艾迪特女士走进了会客室，完完全全的一个与所描述一致的女人来到了莫腾面前。

莫腾警探长迅速地向她介绍了最近发生的谋杀案。

她完全被震惊了，眼泪止不住的从她悲伤但美丽的眼睛里一串一串地滴在她的花边手帕上，她用它捂住嘴，极力抑制着自己的抽泣和哽咽。

"可怜的爱丽丝！"她开始喊道，过了一会儿她控制住了自己，"那么年轻，却是这么悲惨的结束！我多次提醒他注意弗朗哥詹姆森，但她还是带着盲目的情感甘愿奉献给了他。她完全被他俘获了，像他前面其他女人一样！"

"麻烦您能跟我详细的讲一讲弗朗哥詹姆森吗？"

他的父亲曾是芝加哥最有名的商人之一，但有人说他对于导致他富裕的方式方法并不怎么忌惮。他的妻子去世的早，只给他留下了那一个儿子。他深爱自己的儿子，所以对孩子几乎是百依百顺。成年后，身体强壮，各种体育活动娴熟，成了魁梧英俊的人，但是精神道德层面上弗朗哥却站在很低的台阶上。在二十五岁的时候，甚至对各种吃喝玩乐的享受都开始厌烦了，在美国各大城市，各个领域奢靡享受的老练成度甚至超过欧洲的。没有什么东西能使他感到敬畏；能干的只有挥霍大把的美元平息公共丑闻和摆平司法判决。你也清楚，生活中似乎有钱能使鬼推磨。人们都说，他几乎花光了他爸爸的全部财产，虽然这笔钱很多。"

"他赌博吗？"

"当然，这时他最热心的事情之一，据说他日日夜夜都在赌博，也只有他这种强硬秉性的人才能承受了这种作为！而且就是这样的人我的可怜的爱丽丝竟然能爱上他！"

"史密斯小姐富有吗？"

"不。她结婚时的嫁妆钱很少，她去世的丈夫留给她的全部遗产仅仅是终生年金，最高额度我猜想大概是每年一万左右美元。但是，如果她再婚就要失去这笔年金的四分之三给信托基金。"

"史密斯小姐一定不会是那个通常人们所称呼的'忠贞烈女'吧？"

"不，一定不会。我也不相信弗朗哥会爱上她。

尽管他有那样的坏名声，他也一定会跟贵妇结婚。他的仪表极具魅力，不止一位富有的遗孀把他视为婚姻的追求对象。他对爱丽丝猛烈攻势的追求，唤醒了她内心对他的温柔，而对其他的追求者她就敬而远之了，谁曾想结果竟这样的悲惨！您确认他就是凶手吗？

"其他人可能吗？"

"但是他这么做的动机是什么呢？"

"是的，杀人的目的一时半会还很难搞清楚。如果爱丽丝史密斯非常富有，如果她做出遗嘱能让他获益，那事情就清楚了，或者非常清楚了，但是从您给我的信息来看，我可以认为他是由于利己的目的可能来实施谋杀的。史密斯小姐从她得到的年金上节省了很多钱吗？

"非常不可能，她丈夫仅仅去世两年。"

"这样节省下来的钱不会很多。谋杀似乎有更大的目的，绝不会仅仅由于区区几千美元。你确信知道爱丽丝史密斯除了年金以外没有其他更多的资产吗？"

"真不太清楚，我也经常好奇这件事，她总是把年金花光，虽然她不是很大方。"

"这就有故事了，她或许用她的年金资助那个詹姆森先生吗？"

"这个有可能，非常有可能。但怎样确认这件事呢？"

"他和她在一起的时候很多吗？他经常陪她一起去旅行吗？她经常旅行吗？"莫腾尖锐的问道。

"很多人说，自从她丈夫去世后她总是在路上。因为婚姻期间他们没有生孩子，而且总是住在提供饮食的旅馆　，避免了繁杂的家务事。但是詹姆森先生并不陪同她看世界的旅行；我想原因是他不能离开他在芝加哥的赌博俱乐部。"

"下一个问题，如果她确实在资助他，她就会给他寄钱。你知道是哪一个银行或者保险公司给她付年金吗？"

"不知道，但是在芝加哥有一家银行我知道。"

"哦，这通过拍电报很容易查到，或许不用这个办法。到欧洲旅行，史密斯小姐一定会带着旅行支票，对旅行来讲这非常便利和安全。你知道德莱斯顿哪一家银行和付款行有联系吗？

"不知道，但是我偶尔听爱丽丝告诉我在德国她是通过德意志银行的分支机构兑钱的，而在法国用的是里昂信贷银行的分支机构。在莱比锡她要和出版商签下一个完美的合同后，打算从这里去尼斯。"

"那这就比较简单了，通过德意志银行就可以知道是美国哪家银行发的那张旅行支票。大概同样也可以知道是哪一家付给她年金，因为，正像你说的，詹姆森先生主要待在芝加哥，

非常有可能史密斯小姐如果资助她的话，也不必要给她汇现金，直接用她在芝加哥的银行给他送付款支票就可以了。"

"为什么确认是否资助对你来讲特别重要？"

"为了搞清楚犯罪动机。如果詹姆森连续收到爱丽丝史密斯的资助，那么他也还能从这里获得最大的利益，就是让她活着而不是杀死她。他做这件事情的最接近真实的解释是她还有重大的资产，并且留下他能从中获益的遗嘱。但是因为她得到的仅仅是终生年金，就这么多，他的作案动机仍是一个迷，需要一点一点地厘清。"

"也可能谋杀是一种激情犯罪，一时生气所为？"

"不对，说起来这可是个大事，谋杀是精心准备的，精准地点的选择，有效方法的实施都证明了这一点。三氯甲烷人们不会偶然地带在身上，同样还有不多的假胡须和蓝色眼镜。此外，你相信史密斯小姐会拒绝她男朋友向她要

更多的钱吗？"
"我不相信！"
"心理学的原因也不支持这个谋杀是激情所为，不，一定会在别的方面找到动机。"
"也可能凶犯会忏悔，虽然—"
"虽然他是个恶棍。你是想这样说吗？不，小姐，我没有勇气这样想。杀人是极为严重的犯罪，他一定做了充分的准备；他也同时能预测到会被怀疑，因而也会准备如何应对。柔弱的人面对突如其来的被捕恐惧会忏悔；但是对于弗朗哥詹姆森，他会千方百计自证清白，但我们需要有人能充分证实，他和受害人独自在包厢里，但是现在还不能！"
"我看见他和爱丽丝一起进入了包厢，包厢里面没有其他旅客。"
"这一点已经很重要了，但是仍然不够，即使乘务员能够证实詹姆森和她独自在一起，也不能完全说明问题。例如我们可以设想他为自己辩护说，她用吸入三氯甲烷的方法平缓自己的紧张，头痛和严重的不舒适，长时间连续吸入过量而死亡。后来担心被认为是凶手，他用我们已经知道的方法隐藏了尸体。这听起来似乎不太可能，而且在司法面前他的设想也不会成功。但是杀人是犯罪，司法审判是有能力做到的，然而那些聪明的律师也会凭借这些证据来游说陪审员无罪判决，正像我已经强调的，詹姆森一定会申辩说，她活着比她死了对他是更有利益的。"
"如果这个没良心的凶手阻碍公正的审判那真是太无耻了！"艾迪特麦克肯农喊道，眼睛里似乎冒出了火焰。
"我会全力来阻止他成功"，冯莫腾有必胜的信心。他不是一个很容易激动的人，在多年的职业中那些不愉快的经历使他经常看到无耻灵魂的堕落，还有伪装成美女的诱惑，直到现在也没有结婚的打算，他的能力给他带来职业生涯的成功。此外，丰厚的积蓄和高薪也使他完全实现了财务自由。但是这个热情奔放和魅力独特的美国女人却触动了他，至少是在此时此刻。

"那么你打算怎样调查犯罪动机呢？"过了一会她冷静的问。

"只有得到关于史密斯小姐和弗朗哥詹姆森之间关系的准确而详细的信息，还有对詹姆森足够长的时间的观察后我才能确认。"

"你在哪里发现他你就会立刻在哪里逮捕他吗？"

"如果我那样做，那将是我犯的一个最不明智的错误。首先有必要收集到充分足够的材料，这些材料要没有任何疑问的能确认他的罪行。现在这件事情处于这样一个微妙的状态，如果他能自由的活动，控告他犯罪材料就能够被收集到，如果把他先关进监狱，就不能。"

"也许您是对的"，她沉思着说，没有掩饰自己的稍许的失望。对她来讲知道了杀害她最好女朋友的凶手还是满意的，这至少摆脱了弄清凶手的苦脑。"但是你想怎样找到他呢？到现在难道还没有关于他的任何线索！"

"如果他是那样的醉心于他在芝加哥的赌博俱乐部，他就不

会长时间离开，而束缚在史密斯小姐这件事情上。当他感觉自己是安全的时候，很快就会很快回到芝加哥。当然我也不会长时间在那里等他，我会事先把那里安排好，如果他回来，会立刻有人通知我。"

"到那时你会去那里吗？"

"当然"

"你不考虑寻求当地的警察帮助吗？"

"我无权也不会拒绝这种帮助啊。"

"不，不，我不是这个意思，我的意思詹姆森先生会得到你的每一步的信息。这样，我必须保护你，至少，如果在你不能应付他的时候。"

"那样，我能相信的就只有你一个人了！"警探长用平静而坚定的口吻说道。

艾迪特麦克肯农注视着他，目光直击他的眼睛。

"你不是一个人在战斗！"她同样坚定地说，"我加入你的行动。"

"真的吗，麦克肯农小姐？"

"是不是有点不正常，我要为我的最亲爱的女朋友报谋杀之仇？"

"当然不是！"

"或者这不是女人能做的？"她在一次地直视着他。"在欧洲人们轻易地会做出对美国女人的轻蔑，但美国女人受到的教育在自由，思考，行动力方面远超欧洲女人！"

"也不是那样，请相信我，麦克肯农小姐，我绝没有这样的偏见。"

"那我就太高兴了。那么现在让我们共同献身于这个任务，报谋杀之仇，"

"让凶手受到应有的惩罚。"

"不管怎么说，结果都会是一样的。我立刻给我在芝加哥的弟弟写信，让他确认弗朗哥詹姆森回到那里后马上给我打电报。或者你认为我还是拍电报通知他比较好？"

"当然，最好这样，虽然还不太可能詹姆森先生已经上路回芝加哥。"

"为什么不可能？"

"因为如果他会像我分析的那样，他似乎仍然在德国，目的是观察警察对谋杀案的所做的各种行动措施，以便决定他下一步怎么走。"

"他怎么能知道警察每一步的信息呢？"

"通过杂志，不可避免地我们做的事情杂志会知道然后报道出去的。这样反而更好，因为通常杂志对调查犯罪是最有价值的帮手。"

"怎样帮助呢？"

"我们似乎从来也没有想过，人们会通过阅读杂志报道关注这一事件，从而会给我们提供他们所知道的情况，这对我们太有价值了，甚至会引导我们发现罪犯。现在这件事，我们应当让杂志为我们服务，让凶手确信并且放松他的担心。我们今天就可以写信给阿尔滕堡市长，说我们很遗憾没有成功找到凶手的任何线索。正像我今天看到的杂志，我在各处忙碌奔波中快速的浏览过这些杂志。一些杂志甚至派出特别报道记者去往阿尔滕堡市。这些记者一定不知道很多东西，但他们是一群狗仔队呀，他们知道该怎么做。我确信市长不会长时间的冷落他们的要求，会接受他们的采访。他要跟他们交流，说我的侦察还没有进展，暂时撤回。当然这些是我要写给他的。"

"但是你是不会真的放弃的，对吗？"

"我根本不会这样想。"

她的有点迷惑的不安的盯着他的眼睛，开始兴奋地明亮起来。"你打算怎样做呢？"她问道.

"最重要的是通过德意志银行在德莱斯顿的分支机构查出是芝加哥的哪一家银行给爱丽丝史密斯小姐开出的旅行支票。并要求该银行通过信用保证书立刻通知冻结该旅行支票的使用。"

"非常好，然后呢？"

"然后我应该全力调查史密斯小姐在最后的时间都有哪些支出，特别是她是否用支票或其他方法向詹姆森汇过款。"

"这一点我能帮助你。我的弟弟是芝加哥一家最大的出口公司的董事，当然会和金融系统有联系，一般人不会拒绝向他提供这方面的信息。"

"这可是你对我做的非常有价值的帮助了，或者说对我做的这件事有实质的价值。"

"这还不是唯一的，我弟弟还能获知弗朗哥 —对不起因为爱丽丝的关系我习惯叫他的名 —在哪里寄信和其他的一些信息。"

"如果这能成功的话，对我们可是太有价值了。而且我也正在考虑这个问题，但我还是有一些顾虑。"

"因为什么？"

"如果那样的调查不能以极大的小心和机智的来做的话，做了反而不如不做。罪犯疑心会非常重。他大概不会预感到我们很清楚他就是凶手。"

"我的弟弟非常聪明，他会用最机智稳妥的方法搞到信息。"

"如果我能确认这一点 —"

"你能的！"她迅速打断了他，"我保证他能做到！"

莫腾欣赏着她的热情笑了笑。"首先我们要等待我通过德意志银行调查到的结果"，他回避了回答，"更多的答案要从这个结果中获得。"

"那什么时候我才能知道结果呢？我可以陪你去吗？"

"那我可求之不得了，尊贵的小姐！"

"好，10分钟后我回来"；反复说了两遍，她才离开。

大约时间持续了半个小说左右，莫腾利用这段时间观察着疗养院，这里配备的都是用最新技术生产的医疗设备。她回来的时候，身上是时髦的服装，精美的大驼鸟毛斜插在帽子上，脚上是漂亮的精巧皮靴。现在他和麦克肯农小姐一起乘坐有轨电车直到阿尔伯特广场。从这里他们步行走到德意志银行的分支行。银行确认了莫腾的身份以后，他们马上获知芝加哥的沃尔顿和西银行开了5000美元的旅行支票而且也告知了兑付银行是在德累斯顿。但直到现在支票没有兑付现金。

"我现在给我的弟弟发电报吗？"刚一离开银行艾迪特麦克肯农就急促地问道，"我在向你说一遍：我保证我的弟弟处理问题和你一样的睿智和稳重。"

"如果你能特别地通知他注意这一点，我同意"，他回答道。同时他思考着，这么有价值的帮助他没有权利太过小心而不接受。也许可能是 — 当然他不是故意所为 — 迅速做出这个决定是因为，如果拒绝了这么年轻的美国小姐提出的帮助，会对她是一种冒犯，也会让她认为他是一个愚笨的警察，大洋彼岸的人一般都这么经常评论德国人。这一点对他很重要，一定不能让她认为他太学究了。为什么？他回避着这种想法，但如果不是虚荣，是什么影响了他呢？

在邮局她开始写电报，写好后递给了他，"这样写可以吗？"她问。

他读道："如果可能，绝对保密调查，弗朗哥从什么地方寄信件。他回来的时候立刻打电报给我，费用不要考虑。"

他稍微有一点疑惑的表情。

"哦缺少点什么吗？"她问。

"费用不要考虑！"他回答，"虽然事情很紧急，对不起我不同意让你来付钱！国家资金—"

"我能，"她笑着打断了他的话，"我一定要，为了抓获凶手，区区几百美元或多或少真的对我不算什么，把你的顾虑收回，我坚持请求这样！"

愿意不愿意他都得满足她的愿望了。"如果你一定要这样"，他说，"我同意，但是侦查的事能否推荐给平克顿，委托他们来调查，你一定知道这个名字吧！"

"是不是美国最大的侦探社？当然知道！是的，这是个好主意。"

她在电报中"调查"两个字后面填上了"委托平克顿"，要求现在发出去。

"你仍忘记了一个不太重要的东西"，他笑着说，并故意不直接告诉她。"你弟弟往哪个地址发信息呢？"

"呃，对，那我们未来一段时间将要到哪里去呢？"

"对我个人来说，我还真不能确定，这要看情况，主要看从沃尔顿和西银行能获得多少信息，这一点我需要请在芝加哥的德国领事馆来和银行协调，我现在就去给他们打电报。"

"但是我已经告诉你了，我弟弟会又快又好地获得这些信息。我刚才没想到这件事非常着急，要快，为什么你不提醒我呢？"

"我怎么能对你的好意要求太高呢？"

"学究！"当然他应该接受这个令人喜爱的标志词。"仿佛我仅仅是因为'好意'在做我要做的事情，我说了，为了给我可怜的爱丽丝复仇，就是为了这个！— 如果用这个你说的'好意'能够把你的困难的任务变得容易，那我就高兴了！"

她送给他一个充满温情的微笑，但她却看到，似乎他的脸上显露出对她开头的几句话不太满意的神情。

"这样的话请加上：在沃尔顿银行调查最近一段时间爱丽丝史密斯的支出情况。"她写了下来。

"地址这样写：柏林警局总部，高级警探长冯莫腾。这里时刻知道我逗留的地址，会有人把寄给我的东西都送达给我。"

"好极了！"她也把这些记录下来。"现在我们准备好了吗？"

他仍然又一遍全部看完了电报然后发出了。

"现在我们不用做什么事情，只等待芝加哥回复，对吗？"她问道，然后他们一起走出了邮局。

"还有，那个铁路乘务员，就是谋杀案发生的夜里值班负责那个车厢的乘务员仍然没有调查，虽然我觉得从他那里我们可能得不到什么有价值的线索。我们还是应该去一下德莱斯顿新城火车站。我已经派我的副手克鲁斯去那里询问，我们会在什么时间什么地点与这个乘务员见面，克鲁斯正在那里等我们。"

他们去往火车站。"那位乘务员大约5点的时候开始在这里上班"，克鲁斯告知，"他的名字叫卡罗来莱德曼，住在奥佩尔大街17号。"

"哦，我猜想他现在在家吧，去他家！"莫腾决定。"您愿意陪我们一起去吗，麦克肯农小姐？"

"当然愿意！"

三个人乘坐出租马车前往那位乘务员的家。这位乘务员和他的妻子见到他们来访非常吃惊，莫腾向他说明了来意。

"嗯，关于那两位乘客，这件事是有一点奇怪"，他一边抓着头一边说。"当我们从特里普茨出发的时候，他们在车厢里面，当我们到达德莱斯顿的时候他们下车了。"

"当您觉得奇怪的时候您是怎么想的？"

"我想他们是不是旅行中下错了车！"

"您没有提醒他们一下吗？"

"没有！因为什么呢？他们有票，我检查过，是他们自己想中途下车，呃，是因为我！那不关我的事！"

"他们有没有忘记什么东西在车上吗？"

"没有，如果有的话我一定会交给车站失物招领处的，我的好先生！您一定知道我应该做什么，是的！"

"或许在车厢里还发现了一点什么东西？"
"没有，绝对什么都没有！"
"您对这两位旅客有什么特别感动诧异的东西吗？"
"没有，我想，他们可能是一对情侣，因为——"

"嗯？"
"诺，我只认为是这样。"
"你一定隐瞒了什么！我能看出你的慌张！快说出来！好好想一想，如果你阻碍调查，隐瞒了什么重要的情况，那就要受到严厉的审判，至少要受到纪律起诉！"
"嗯，最好还是不要搞事情了！那怕仅仅是一点的坏事，如果让铁路局知道了—"
"那位先生给了我小费，为了能单独和那位小姐在一个包厢！"
"诺，现在你知道了，是的，就是这件事！不要把这件事告诉铁路局，行吗？我很穷，这些钱对我一大家子人是很有用的。"
"我不会把这件事揭发出来，安静点！但是你仍要告诉我那个外国人长得什么样？"
"好，就是那样，二等车厢的旅客！他穿着雅致的衣服和大衣，那位小姐也穿得非常讲究。"
"他有胡子吗？"
"就是沿着脸颊有一点。"
"没有唇胡吗？"
"没有！"
"也没戴眼镜或者夹逼眼镜吗？"
"没有！"
"他带的旅行箱子是什么样的？"
"这个我真的没有注意。等一下！哎，我想起来了，他带着一个非常大的旅行箱而她的非常小。是的，对，就是那样！"
莫腾警探长感觉道，这位乘务员也就知道这些了。这样他们三位离开了这位乘务员家一起来到了莫腾的房间。

"从这位乘务员说的话，得出两点可注意之处，那个小费不是什么大事。胡子和眼镜一定是在乘务员检票之后戴上的，而且一定是在杀人之后。这一步对接下来的侦察不会没有作用！"

"那么现在呢？"艾迪特问道。

"现在我们应该等芝加哥的答复，这大概能在明天上午早些时候会收到。在这之前我们什么也做不了，因为我们完全不能预知芝加哥的信息会把我们引向何处。很有必要休息一下吧。"

"利用这段时间我们参观一下这座城市好吗？我几乎对它一无所知。"

"能为您当向导是我莫大的荣幸，克鲁斯，你也可以休息一下，在靠近新城火车站附近中一个旅馆，或许《新城市酒店》，《梅斯酒店》，《科堡酒店》或者其他的酒店。我要住《王子酒店》。明天中午到那里去找我，如果我不在就等我一下。现在回到火车站把我的地址打电报给柏林警局总部。此外打电报给阿尔滕堡市政府说我临时终止侦查；如果有什么大事发生，会有人立刻为我向警局总部报告，你明白了吗？"

"非常好，明白了，特派员先生！"

"我谢谢你！"

克鲁斯向侦探行了一个军礼，离开了。

"现在你终于自由了！"艾迪特神态自然的感叹道，"我们现在做什么？"

"首先，当然是应该解决不得不解决的胃肠的问题了。"

"能够理解！我请您，您是我的客人，我们在《王子酒店》进餐；我曾在那里吃过一次，非常令人满意。或许您是一位资深美食家？"

"美食家？我这个职业，谁进来谁都不是美食家了。"

"您为什么选择了这个职业？"

"仅仅是因为爱好，我以前是一个职业军人，快乐的骑兵，我的上司对我非常满意，我对他们也同样满意。这听上去是不是有点自大了，对吗？但是，你不会想到，让你的上司满意你，通常会怎样的不容易做到。经常会发生意见相左的情况，当然上司总是正确的，然而并不是每一件事情都会是那样。虽然下属不会是那样的自大，也无意希望坚持自己的正确 — 如果持续这样的话，即坚持认为自己总是正确的，那是没什么好处的 — 因而他经常内心对上司是恼火的，但这没什么用处。沿着这个方向来看，这个职业要比那些只从表面判断的人所认为的更难，只有那些有实际经验各方面真正有才能的人，那些不仅热爱而且从中得到幸福和快乐的军官才能终生从事这个职业。"

"我理解这一点。"

"为了这，我和我的同僚，我们一定都有各自的感受。我们的一位'老人'— 我们对那些团长们总是这样的称呼 — 服役中总是很严厉的，甚至为一点鸡毛蒜皮的小事，也要训人，他的责备根本不是你冒犯了他，无论是形式上还是语调上，完全就是一种职业病习惯，但他心里对我们是真好。这一点就是最笨的想升官的人都能感觉到，就是因为这个，我们都爱戴我们那些"老人"，我们愿意做任何事情。就是因为这一点我们都快乐辛勤地工作着。这样所有的事情都令人愉快，有什么样的军官就有什么样的团队，有什么样的上校就有什么样的军官，这是没问题的，十次有九次都是这样。也许我说这些我们部队的事情，你觉得无聊吧，对吗？"

"完全没有，相反，我很喜欢听，请继续吧！"

"虽然我不是一个吝啬的人，我仍然过得很充实，所以我被批准有了一匹名贵的赛马。我的这匹宝贝血统纯正，高贵有名，在汉堡和布雷斯劳我骑着它两次获得赛马比赛冠军。但是在巴登巴登的一次比赛中，它的一次跳跃没跳好，我们一起摔倒了，它没什么事，我却麻烦了。我的胳膊摔断了，不能在军队继续服役了。我仍然可以当宪兵，这是一个双兵种的工作，半军人半警察，我不太喜欢。因为不能再做军人了，我就选择了做警察，仍然能够从事同罪犯做斗争也十分有趣。"

"这是一个能充分展现我的能力的职业，也确实是一个不简单，很辛苦的职业！"

"确实不容易，但也很精彩。在不得不脱下军装的时候，我确实非常沮丧。但是警察的职业也很辛苦，必须精力高度集中，这反而帮助我走出了那段迷茫期，而随着时间的推移我越来越喜欢我的职业，因为离开了我热爱的骑兵生涯，现在其他任何岗位都不能使我放弃做一名警察。"

"但是，一定有过几次很危险的时刻吧？"

"但是很有意思的！例如，现在就是我已经感到很兴奋的时刻，这位弗朗哥詹姆森就落到了我的手上。"

"不要低估他！当他绝望的时候，当他看到自己的计划失败而即将要捕的时候，他什么事情都能干出来！"

"我已经不止一次经历过绝望的犯罪分子，并且成功地制服了他们！"

"正是您的职业的高风险阻止了您到现在也没结婚，是吗？"

"到目前为止，我还没有什么理由来认真地考虑这个问题。对我来说没结婚到没有什么太惊奇的，倒是 —"

"倒是你！"

她笑了，"我们还是先吃饭吧，在用甜点的时候，我给你讲我的故事，为什么我虽然二十七岁了仍然没结婚。"

她遵守了她的承诺，一顿非常可口美食后，她点了一个带皮多汁的梨子作为甜点："您怎么看，我满世界的游荡？"

"我可没有这个能力去判断。"

"我的目的就是要找一个丈夫。"

"不可能吧！"

"确实是这样！"

"那跟我说个明白吧！"

"我正要跟你说呢，我爸爸是一个苏格兰人，我遗传了他的性格。主要特点就是有一点罗曼蒂克，但在具体事情上却非常务实，完美和谐，似乎有一点奇怪。这种罗曼蒂克不能使我钟情于美国的美元迷们，那些人关心的是我拥有的财富。务实而不幻想的性格让我来到欧洲寻找追求者。"

"我认为，你现在的观点太悲观了。你的个性是— 我希望你不要认为我是在奉承你 —你的性格不仅仅是能够吸引男人，而且还能够给对方带来长久的快乐。多一点自信。"

"我想要做的更好，"她玩笑般地回答。"我真不是一个自命不凡的人。我仅仅是在任何别的人面前树立起一个要求，这个要求就是，永不放弃选择一个真正的男人，一个刚直不阿，有担当有毅力的男人。如果我要结婚的话我不会有其他的选择，我就是和弗朗哥詹姆森这样的罪犯结婚也不会和那些穿着时尚，经常使我想起理发馆橱窗里面的木偶似的人物结婚。"

"两人同样的性格"，他一边思考一边回答，"这已经很清楚了，史密斯小姐已经把她的心献给了那个詹姆森。完全被他所迷惑甚至是崇拜，甚至在知道了他性格中非常不好的一面的时候也没有阻止了这种崇拜。"

"完全正确，他不仅使她敬佩他，而且甚至完全控制了她。如果她想违抗他的命令做点事，心里也是十分恐惧的，例如，告诉我他来这里的信息，要我向她保证在他在这里期间不能接近她。"

"但是你说过，她出发时候你给她送行了，是吗？"

"是的，但是弗朗哥没有看到我，当他为她准备行李的时候，我才同爱丽丝最后一次握手告别的。"长长的一口粗气从她的胸膛里发了出来。"如果我预料到会发生什么，我是不会让她一个人去旅行的。"

"这个你是不能预料到的，没人能预料到，"他反复地安慰她。"让我们共同努力，穷尽一切方法来证明凶手的罪行，从而使他受到应有的惩罚，好吗？"

"这正是我们要做的！"她把自己的手从桌面上向他伸了过去，他握住她的手，轻轻的抚摸着，她微笑的看着他，想起了爱丽丝，美丽明亮的双眼又潮湿暗淡了下来："我渴望给你一个提议，可是我不那么勇敢！"

"你可以无所顾虑！"

"今晚我们一起去看歌舞表演好吗？不久前我的朋友戈斯多夫和妻子去看过慕尼黑的歌舞表演，他们说非常愉快。我也想体验体验，女士单独去那种地方不太方便，你愿意陪我去吗？"

"非常愿意，但是我担心你或许会有点失望？"

"为什么？"

"我不想说出我的想法，在事先就浇灭你或许拥有的憧憬和快乐。那现在我们做什么？让我们去参观动物园吧？"

"好勇敢，这是个好主意！我特别对猛兽感兴趣。"

"因为它们能给人们带来力量！"

"是的。"

"这才是真正有性格的女性的特征。好，去动物园！走路去你可以吗？"

"你很快就会看到我的能力的。"

"那太好了！那我们步行去。施洛大街，丝艾大街，普拉格大街，我们都要穿过，这些大街展现出充满生机活力，生活美好的城市景象，伯奇韦尔大街建设特点值得赞美，突出了大城市的现代和忙碌，在持续扩大的'建筑沙漠'中还出现了迷人的绿洲；这不仅是城市装饰审美概念的体现，而且也具有净化空气保障公共健康的价值。"

"这一切对我都耳目一新，你好像从中看出点什么？"

"这些城市展现了商业和工业，环顾四周，你看到了什么？所有的一切都在开发，大力开发，旁边的道路在压实延申。随着获取的速度越快，获取的数量越多，那么心里想的也就只有是如何去获取。与这成鲜明对比的是位于花园里面的生活，周围是树林和灌木；现在你还看不到什么，因为还都没有长叶子呢；我们这里的气候三月份的太阳才刚刚能照出第一批嫩芽。但是用不了几周，花园里面将到处都是玩耍的孩子，他们的妈妈们会坐在长椅上互相交流持家经验，而严肃的男人们会下意识的环顾周围的一切，感到他们自己融入在了大自然中；他们思考的高度会不限于每天的生活，会转向更广的范围。那样的话在这乱石中生长出来的每一片绿洲都会成为每天生活的精神绿洲。"

"您就是一位诗人啊！"

"不是，诗人会创作的，我只不过是转述了一下看到的东西。"动物园可看的东西并不多，在美洲狮的铁笼前，艾迪特麦克肯农认真的看了好久。
"你对这些猛兽很感兴趣吧，美洲是他们的故乡，对吗？虽然是位于离美国很远的南美。"
"我对它们感兴趣有一个特殊的缘由，我的朋友戈尔多夫和她的丈夫总是风趣的称呼这些美洲狮为大狮子和小狮子。"
"这些食肉动物的本性是不会改变的，对吗？"
"他们两位从来都距离这些动物很远，这些美洲狮彼此相爱几近疯狂地抚摸着对方，似乎很少看见这个场面，所以人们很难分清这些美洲狮的公母。"
"可能新的生活使他们更渴望着爱。"
"危险的实验，看这儿 — 似乎母狮正向豹笼那面卖萌呢，是吗？"
"是母狮子，可不能那样调情啊。"
"去！我们往再前走走吧！"
离开动物园，他们在市政厅的地下餐厅用晚餐，体验一下德莱斯顿当地生活，然后去观看"歌舞表演"。
这个所谓的"歌舞表演"到目前为止给艾迪特的印象还是一种陌生的艺术形式，很是暧昧。
严肃的话剧艺术，年轻诗人的动情咏诵，确实令人喜爱，虽然不是那么经典绝伦；尤其是周围嘈杂的环境，啤酒杯的碰撞声，来往穿梭的服务员有点不伦不类。一边弹奏吉他，一边走动的唱歌，女歌手展现的是中世纪的那种浪漫，虽然过于简单难以触动心灵，但还是在大厅里面起到一种触动感情的效果。
大部分的表演过于夸张的幽默还是引起了她欢快的笑声，但是令她不愉快的是表演者总是试图过于表现自己，所背诵的诗歌，其作者过于追求标新立异，难以引起她的共鸣。
"歌舞表演"是法国人的发明"，莫腾在听到她对这个表演的评论后说，"优雅是必须的，这是法兰西民族独有的，似乎这些表演对灵魂的深刻思考是可以接受的。这对诗歌和表演都是有价值的。"德国人虽然对精准有着近乎苛刻的追求，但对其他门类的艺术也是欣赏和包容的，但是即使这样也不可能对这种奇异梦幻的美好艺术，跨越怀疑的礁石，而对这样的表演轻易地变得愚钝起来。"

她同意这个看法，"你似乎不像德国人！"她又补充到。

"人们一般都是非常爱国的，只是人们都高估自己民族的优点。这种高估是极其有害的，因为这会阻碍对自己缺点的认识并且从而改正它们。认识到这一点非常有价值，不仅对民族，对个人也是同样的。"

"我很高兴虽然你很热爱你的职业，但你仍能对其他具有普遍意义的问题感兴趣，并且认真的加以研究。"

"只是一点体会，还不是一方面的专家。"

这是发生在他们回去的路上的对话。演出没结束他们就离开了，因为艾迪特小姐的行李还留在疗养院，所以今天仍然要回到那里。她要乘电车回去，他要陪她去，但是她谢绝了。"电车就在疗养院附近停靠"，她说，"路很近，我一个人能行，没必要你为这牺牲两个小时的时间。最近几天你忙于这么紧张的工作，你需要早点睡觉好好休息休息。"

"这样紧张的工作对我们已经习惯了，我真的是想要陪同你，目的是还要跟你谈谈案子的事情。"

"那我太高兴了，但是明天我们还有足够的时间来谈，而且后续也有好多天呢。案子不破我是不会离开你的。"

"这正是我希望的，那可要持续好久的！"

"法国式的礼貌绅士！"她开着玩笑，轻快地跳上电车，挥挥手再见。

冯莫腾以很慢的步伐从阿尔伯特广场穿过豪普特大街回到酒店，这段路是他陪她走过的。他不能否认，她的个性给他留下了深深的印象。在以往的工作中他也确实遇到过几个漂亮有趣的女士，但是没有一个让他拥有那样的感觉，并不是因为他不想结婚，正相反！他为自己装修了一个温暖的单身汉之家，装修风格和谐统一，彰显着不仅是天赋和成功，更表现出他的高雅时尚的审美情趣。家具并不是现代豪华，而是既简约又温馨，像一组令人满意的画面，也不会因此不敢触碰和使用。墙上挂着由著名画家画的大师作品，简单而又不奢华的可再生材料制作的画框和大师的名画和谐统一。画作旁边还展示了在部队期间用过的手枪步枪，还有那一时期捕获的野兽毛皮和鹿头，粗犷而认真制作的雕像。这个家庭的装修装饰并不遵循一定的流派，而是有自己独特的风格和品味。这样精美的安乐窝使他心情愉悦，但是当他长期在外出差工作回家后，却经常无限感慨。这个家里还是缺少点什么，他当然知道，这就是在心灵深处，互相照顾，互相爱慕的妻子！

但是认识到这一点容易，要做到就不那么容易了。当然，结婚的机会对他来讲还是很多的，也不乏极为优秀的"对象"。但是恰恰对那些所谓优秀，他却很难克服自己的反感。当他年轻时离开现在已去世父亲的庄园的时候，他偶尔听到，年长的家庭总管劝告年轻的服务生："男人，如果想结婚的话，不要渴望女方的嫁妆。我的妻子结婚时就带了一些金币和铜锅，这可了不得了，一些闲话就会经常的跑到我的耳朵里来。"那时听到这些他还不以为然，但是当他不时在这里那里看到听到，一些做妻子的因为结婚时带了很多的嫁妆，很多时候凭此缘由而理所当然的申斥自己的丈夫，全然不顾丈夫为此而受到的深深的伤害，这时他就会经常想起老管家所说的话。他还是认为一些女人的这种做法是在要小聪明，他是绝对不会受到这种呵斥的，而且他会完全能够知道妻子在婚姻中所起到的作用！甚至最伟大的心理学家也不能完全预言能处理好这种关系。女人，绝大多数的女人都不会受到这样的评判的。

带着这个并不全新的结论，他躺上了床，几分钟后就发出了平缓而深沉的喘息声，他睡着了。

第四章 追踪詹姆森

第二天中午时分，他正在等候艾迪特，稍微打扮了一下自己，这与他平日随意的着装习惯形成鲜明对比。这时柏林警局总部转来了芝加哥给他发的电报，"平克顿已受托。最近一年的支出：爱丽丝本人6，000，詹姆森4，000，纽约人寿保险公司7，500"。

正在他沉思的时候，艾迪特款款而至，点头问好后，他把电报递给了她。

"人寿保险，爱丽丝从来没有对我说过。"她惊讶到。

"我猜测这就是原因了"，他回答。"非常有可能詹姆森会从中获得实际利益。"

"您根据什么得出这个结论？"

"正像你告诉我的，爱丽丝史密斯没有近亲属，这个年龄的女士的人寿保险赔付是非常高的，数目一定不小，如果不是她爱的人，谁将来能获益呢？"

"那一定是！"

"除了你刚告诉我的这一点以外，她在你面前从来也没说这份人寿保险的事情。如果不是詹姆森的意思，谁会让她这样做呢？如果保险单上面不写上他受益，保持沉默又会是给谁带来好处呢？"

"这一点也是完全正确的。"

"大多数美国保险公司过一年后都是不可撤销的；大概这个保险是纽约的。"

"这样，弗朗哥就是她死后的最大受益人，这给破案带来了方向。"

"反之，这也似乎更不可思议。实际上，在被保险人被确认无疑死亡以前保险公司是不会给付保险赔偿金的。但诡异的是詹姆森却又设置了种种困难，极力阻碍对死者身份的确认，这样对他获取保险公司的赔付金是不利的，而这正是他的最重要的目的，如果是这样，我们应该怎样来确认他的动机呢？"

"他就是那样的人，这一点你一定要确认！"

"这一点我当然绝不怀疑，但是，这一点你也不会否认，初看，他一定是个疯子才能这样做，而绝不是一个冷静思考的男人做的。无疑这个男人就是凶手，但同样他一定会对他的行动做精心的准备，以便掩盖他的罪行不被发现。如果没有做这些充分的准备，我就会认为他是激情犯罪，但这显然与他的利益是相违背的，我也绝不会这样认为的。"

"那么现在，动机是什么呢？你的意见呢？"

"在这件事情的背后还有我们现在不能厘清的东西。"

"你相信我们能搞清楚这些吗？"

"我希望这样！"

"用什么方法？"

"认真观察詹姆森。"

"希望我们能发现他！"

"他完全没有认识到，或者说至少到现在，他已经被怀疑了，所以没有理由去隐藏自己，因为他认为确认他和罪犯之间的所有痕迹都被他消除了。我希望平克顿能很快调查出从美国往哪里给他寄信。如果知道了这个信息，我们就能很快地观察到他。"

"如果我们知道了来自芝加哥的信息后，我们将做什么？"

"那时我们就能确认我对人寿保险的猜测是正确的。纽约的保险公司一定也在这有代理公司，但对我们可能没什么作用。似乎这里的代理公司关于保险的事情还没有收到美国方面的通知，我们应当立刻通知纽约的公司总部。"

"拍电报？"

"当然，用对方免付费方式。"

莫腾在撰写电文，要求提供芝加哥爱丽丝史密斯保险的受益方的信息，以及是否赔付金已经被申请，赔付金的数额和赔付金什么时候可以生效申领。

"我还是把电报发给德国领事馆"，他说话的时候已经完成了电文的撰写。"领事馆一定比我要更有把握收到回复，虽然保险公司没有理由拒绝回复这些信息。或许仍然可以提出建议暂时终止支付保险赔付，如果有人要求支付请立即通知我。"

警探长写完电文就发给了德国领事馆，并请求直接回电德累斯顿。

然后两人一起吃饭，但莫腾一直在思考这个案情。

"困扰你的一定是仍然搞不清楚谋杀和人寿保险到底是什么关系"，艾迪特突然说道。

"你说的对，小姐！"他若有所思的重复道。"我仍然有一个问题搞不明白，凶手的作案动机无疑是为了获取保险，消除所有的痕迹，不被外人所知，是罪犯很自然的目的。但是，因为要获得保险就要证明死亡，就要确认死者的身份，这两点的一致性不是必要的吗？这个问题我现在找不到答案。"

"您自己已经说过，答案只有通过观察詹姆森才能得到结果！"

"对！但是我想要得到答案，只有先通过逻辑分析，然后用后来的实际观察证实我的设想。就是这样，小姐，这是我的职业所在，正是这种职业激情给我提供了太多的机会，解决了众多的难题，证明了智慧和逻辑思考，就像警察和罪犯之间在下国际象棋。"

"但是在国际象棋的角逐中任何一方都是平等

的，而罪犯与警察的较量中，罪犯往往拥有更大的支配手段。"

"这一点在检察官或最高检察官与在押犯之间的较量中也是一样的。但是，罪犯自由的时间越长，他占有的优势就越大。选择了合适的路径才能够追踪罪犯；而犯罪分子早已洞悉了一切。现在你已经看到了发生的事情，此时我们还不能采取任何行动，能做的只有等待，直到我们知道在什么地方可以发现詹姆森。"

"是否有必要让柏林方面搜查他？"

"不用，主要是他不可能在柏林逗留，但是除非他一路坐车不在中途下车，也许他去了柏林。在莱比锡，仅仅是为了迷惑我们，从那里又去了其他地方。但是，如果他确实去了柏林，他无疑会用另外的名字登记酒店，现在也不会在那里了。到目前为止我们所能采取的正确的办法就是用平克顿查出地址，就是他收信的地址，我们就会有最大的机会取得成功。"

"如果平克顿没找到地址，我们怎么办？"

"如果是那样，我们只好等待，等到他去纽约保险公司申请保险赔付。那时我们应该重新勘察他所走过的路，也就是他所做过的事情。"

"真是太难了，怎样解决，似乎仿佛云里雾里。"

"当然。但是现在唯一方法似乎就是这样了。"

"根据你的分析，平克顿什么时候能有结果？"

"现在还不好说，这也取决于所委托调查的职员所面临的困难程度。但是，因为平克顿有最优秀的员工，很有希望我们能很快得到理想的信息。如果你仍然还坚定希望亲自参加这次狩猎——"

"当然我要参加！"

"我建议你把你的行李带到这里，我们应该立刻出发了。"

"那我回到疗养院收拾行装和我的朋友告别，大约晚间我回到这里。"

"但这可是一个非常疲惫的旅行啊！"

"没关系！我可不是你想象的那样弱不禁风。一会儿见！"

助手来询问，莫腾警探长又重复了他的命令，让他过一段时间再来请示！

下午德国领事馆的电报来了，全部确认了莫腾警探长的要求。保险公司已经在一年前就确认了受益人是詹姆森，而且不可撤销。现在还没有来申请领取保险赔偿金。

莫腾再次头脑风暴力图找出收到电报后所呈现出的新的问题的解决方案。

如果不是为了保险金，那谋杀是什么目的呢？因为什么要消灭确认身份的证据呢，这可是申领保险赔偿金所必须的啊？"

在《王子酒店》的房间里，莫腾警探长坐在桌子前的沙发的一侧，苍白而有力的大手扶在前额上，陷入深深的沉思中。已经是第三次装满并点燃烟袋了，他习惯在旅行中带着这个长短合适的烟袋，并且戏谑称它为最忠实的情人，因为它只为他自己点燃。

他还不能回答不断地出现在自己面前的问题。最有可能 — 或者更准确地说 — 最不可能是这样一种设想，詹姆森在杀人后由于担心被抓，宁可放弃谋杀所带来的成果，也不希望自己处于被捕的风险之中。也许他已经认识到这样一个事实，警察在确认犯罪事实的时候，总是要先询问这样一个问题，所发生的事情对谁最有利？但是即使莫腾不接受这种设想，这也和艾迪特对詹姆森的描述不相符合，他是一个意志力极强，什么也不怕的人。到目前为止这已经被所确认的事实完全的证实。

似乎有这样一个久远的经验，如果过于细致，过于冗长的深入研究一个问题，往往会越来越关注细节，而失去了对总体的高度的把握；这会陷入一种危险，即过分关注复杂的解决问题的方法，而忽略了比较简单的方法。

莫腾警探长已经长期习惯于严格的自我管控，这当然是一个真正有能力的侦探的最重要的品质之一，开始认识道这种危险冒头了，于是站了起来决定外出散步，呼吸一下新鲜的空气。

他机械地沿着易北河的右岸的道路开始行走，直到洛什维茨，然后向上穿过席勒大街到达郊外，然后来到魏瑟赫希从这里往上来到一条小路，此处连接着布劳。

他自嘲地笑了笑，因为认识到，他自觉不自觉地走到了艾迪特住的地方附近。但是他立刻又严肃起来，他开始思考，他一定要保证自己做到：她的个人魅力，欢快直爽和不做作的性格不会对他产生吸引力。

"要放荡游戏，年纪未免太老：要心如死灰，年纪未免年轻！"

他吟诵了一句《浮士德》。

共同的目标把他们两个人连接在一起，当这个目标实现的时候他们的道路就会再一次分开；只有回忆永存。

她在寻找丈夫，说的那么坦白，一瞬间似乎击中了他。丈夫！他似乎感觉　这个词的全部意义就是说他的，对完全正确。但是关于这一点他从未想过他和她之间会有亲密的联系。她明显很富有，甚至确实是富家千金，要不然她不会对平克顿的费用表现的那么无所谓的态度。但是同富家子女联姻对于一个有独立思想的男人来说要比同一个普通人家的女子联姻危险的多。当然会有那种女人即使富有也不会到处炫耀，这种炫耀对一个真正的男人来说可是实在忍受不了的。努力尝试的后果往往是残酷的，破坏性的分歧足以击败婚姻的幸福和爱情。

他没有任何污点和丑闻，来自于一个和睦幸福有着良好名望的家庭，这一点远比她的美元来得重要。但是这样有点商业化的比较的观念与他的纯洁的特性是格格不入的，他并不认为婚姻的实质是一次冒险的押注。

最好是现在就克制这种好感的萌芽，免得萌芽长大后更不好解决。以后就把她看作是一个有意思的研究对象，这是最好的了。——

晚间她如约而至，他就是抱着这个原则不冷不热地打了招呼，而她却表现的很兴奋。

"爱丽丝还活着！"这是他们离开安静的酒店大餐厅后说的第一句话。

"不可能！"

"是这样的！我回到疗养院告别后，回来看你不在，我又去了邮电总局询问是否有寄给我的邮件，在这些邮件中我看到了这张明星片！"

她递给他一张法国环球明信片，他迅速抓过来首先认真检查了笔迹。

"你确认，这是你女朋友的笔迹吗？"他问道。

"一定是她的笔迹！"

"你也确认这封信是你的女朋友写的吗？"

他说着，从他的文件夹里面拿出从莱比锡那位出版商带来的那封信。

"当然是，她写这封信的时候我就在旁边！"

"那么这张明信片是伪造的！"他平静地说了两遍。

"但笔迹完全一样啊！"

"不一样，模仿的甚至很拙劣。你看，例如这个字'和'在'我是'的前面，字母d的收笔是后加上去的，有点粗了，上面的笔画又太细了。通过这个细小的差异可以看出伪造者习惯这样写字母d。只是在'Alico'这个单词上，他下了不少功夫，这个细小的灰色阴影显示，开始的时候是用铅笔写的，然后又用橡皮擦擦去了。"

"你是对的，那么这个明信片的用意是什么呢？"

"这我要看看内容了。日期与邮戳一致，维克多乌戈 — 我记忆中好像听过这个地名。如果我没记错的话，它应该位于南法的普罗旺斯或者附近，那样的话就是一个不大的村庄。比较大的法国地区我都知道。诺，这个我们之后要查一下地理名词。寄出的日期是前天，根据邮戳，明信片是今天下午到达这里的。这么远的地方说明邮寄的地址一定是大地方，这一点我完全确信，维克多乌戈就在法国南部。詹姆森先生懂法语吗？"

"一般交流应该没什么问题，他在芝加哥的雷明顿学校读过书，这所学校是教授法语的。"

"在维克多乌戈小村庄里面至少有人懂英语的，所以如果史密斯小姐在那里，是很容易查出来的。"

"你认为是詹姆森写的这张明星片？"

"一定是，他极为狡猾一定轻易不会用这个办法，甚至是改动的笔迹来写明信片，他会极力避免以防止被怀疑。"

"这样，他确实在维克多乌戈小村庄，对吗？"

"应该是，但也不是十分必要，很有可能他先寄给他认识的人，然后再请这个人帮他寄出。也有可能他就直接寄给当地邮局，委托邮局转寄，不存在邮局拒绝他的请求的理由。也可能是他亲自去了那里并且仍然在那里。"

"为了什么目的呢？"

"为了确认是否有人在调查他。在这样的小村庄里面，陌生人和外国人都是特别引起注意的，如果没有相关人员的配合，追踪调查是很难完成的。"

"但是他是怎么知道我在等待或者希望收到信件

呢？"

"你曾经对你的女朋友提过要她寄信给你了吧？"

"是的！"

"那就对了！她一定也跟他说了，他在特普利兹看见过你吗？他知道你在那里吗？"

"或许吧。爱丽丝没有写信告诉他我在特里普兹，她知道，他不喜欢我和她之间的关系，因为他知道我对他很反感，因而担心我朋友受到我的影响．所以在特普利兹她应该不会对他说我也在那里。但是在他们离开的时候我去了车站，站在站台上目送他们。我注意到，在他进入车厢之前把整个站台都观察了一遍，看了好长时间。我站在一个角落里，几乎整个身体都躲在一个送行李的车后面，而且我没记错的话，我还带了一个面罩，但也许他看到我了。"

"也许是这样，后来他问了爱丽丝关于你的情况，这也是可以理解的。现在，看看他都写了什么：'亲爱的艾迪特！'— 你的朋友经常这样在信件里称呼你吗？"

"她总是这样称呼我：'亲爱的艾迪特！'这样亲昵的称呼从我们孩童时代就开始了，一直是这样。我记不起来还有什么别的称呼了，此外还有在我们发生小争执，她生我气的时候是怎么称呼的也记不清了。"

"这些细小的差别詹姆森是不可能知道的。让我们继续看：'我利用在这里停留的机会给你写信，只是向你表示亲切的问候。很遗憾我身体感觉不太好；我得了重感冒，咳嗽，胸部也疼的厉害。我要去利维耶拉，很可惜你要去芝加哥。我遇到了一位我爸爸认识的一位老朋友；他在照顾我，因为弗朗哥为了生意上的事情去了维也纳。当我去尼斯的时候给我寄信吧。你的亲爱的爱丽丝。'"

读完明信片后，莫腾探长低下头陷入了沉思中。过了一会儿，他抬起头说："我确认我知道他的目的是什么了。"

"嗯？"

"只有等我把支持和不支持我的假设的方方面面都考虑清楚了的时候，我才愿意谈论这个问题。但是现在非常重要的问题：你的朋友有过肺部问题吗？"

"没有，从来没有过！"

"正是我设想的那样，他或许现在还在维克多乌戈，这一点我们暂时不考虑，我们绝不会迎合他的设想去他那里。"

"除了这个他用这张明信片还有什么目的呢？"

"哦，目的有好几种，看来我们的敌人非常的强大，这一点越来越清楚了。首先他要让你确信，爱丽丝仍然活着。"

"如果没有你的参与他一定会成功的，我根本不可能怀疑这是一张假的明信片。"

"随后我会向你展示对于一个老手来说辨识真假笔迹是多么的重要，詹姆森的目的是去利维耶拉。"

"您确认？"

"这一点我非常确信，从突然出现的感冒，胸疼我确认了这一点，这就是他的动机。"

"但是他确实没有这些病啊！"

"可怜的爱丽丝也没有，她现在已经在坟墓里休息了。但是在利维耶拉另一位小姐也会为爱丽丝而死。你明白这一点吗？"

"第二次凶杀？"

"不，那没有必要。在利维耶拉有很多肺炎病人，他们在那里希望能恢复健康或者减少痛苦。但是我们要准确知道他是用什么方法在那里安排这件事情的。这当然不容易，此外：你对爱丽丝说过，你要回芝加哥了吗？"

"可能说过，因为我来欧洲现在已经是半年了，不会不想回家看看。具体的打算我没有说过，我没确定的事情我不能去说啊。"

"史密斯小姐一定跟他说过了，他现在正在试图知道你下一步要怎么做。"

"那我要怎么做？"

"我们去利维耶拉，也明确写信给他，你打算回芝加哥。"

"但是如果他在利维耶拉看见我，怎么办？"

"我们会做好方案，不会发生那样的情况。"

"我们什么时候去？"

"当我们接到平克顿的信息后立刻出发。或许我们不直接去利维耶拉，先去维也纳。"

"你真的这样认为吗，他要去那里？"

"我不是必须要相信这一点，但也不是完全不可能。如果一点意图也没有，他也不会这样写，但是他的目的是什么呢？也许是为了躲避我们的追查而赢得时间。这似乎是不可能的，至少他对你我的合作是一无所知的，当然也绝不会想到这些。他要把你带到一条错误的路上吗？那也是不可能的。同样他也不会知道我们已经了解了爱丽丝的死亡，不然的话，他就不会冒充爱丽丝给你写信了。那么因为什么呢？因为要制造他不在现场的证据。他是这样写的，为了生意上的事情他要去维也纳。他有商务企业吗？到目前为止你还没有告诉我这方面的事情。"

"有一个进口加工厂他有股份，是继承他父亲的。老詹姆森知道儿子不善经营，明确规定他只能从中受益，而不能将其股份卖出或者典当。"

"明智的安排！他有为此而经常商务出差吗？"

"他仅仅是以此商务为借口经常到欧洲花天酒地。"

"这样我们可以认为詹姆森先生可能会去维也纳，我们派我的副手克鲁斯去那里看看就足够了。"

"这个任务难道不需要高度重视吗？"

"暂时不需要，大概给维也纳警局拍个电报就应该能解决。是的，足够了，如果我的猜测是正确的话，他就是为了制造不在现场的证据，他应该用弗朗哥詹姆森的名字进行旅馆登记。我立刻草拟电报然后发给维也纳。"

莫腾发完电报，问她，"你准备好一旦我们收到平克顿的回复，会立刻乘坐最早的火车出发？"

"我时刻准备着。"

"那太好了。我们一定要找到史密斯小姐的父亲的朋友。"

"你难道真的相信那是真的吗？"

"当然，詹姆森就是那个朋友，认识到这一点是非常重要的，你陪我去，你可以亲自验证。"

"难道仅仅是为了这个吗？"

她的脸微微泛红，脱口而出没有深思的话，然后又迅速补充到："我以前认为你一定很讨厌一个人旅行，或者你也经常和你的助手克鲁斯这样认真的谈话吗？"

"亲爱的小姐，你这样会说话，不是为了让我奉承你吧。"他平静的说，"你不会想到我从来也没有这么希望过会有一个女伴在我的旅途中，从来也没有想到还能和她从关于这个案件的讨论中获得启发和灵感。"

"这听起来更像是奉承。我承认，平克顿费用可能不会列入你的预算，戳穿虚假的明信片对你的工作大有帮助，还有我会向你介绍更多的关于爱丽丝和詹姆森的事情。但是我带给你的好处也仅仅是这些了；而在从对案件的讨论中，我也学习了很多，甚至对此我也感到非常的有趣，而不是对你！"

"对不起！我的话的中心意思是要把案件厘清。"

"这也仅仅是你自己的独白。"

"哦，不，这完全是另一码事。"

这时克鲁斯走了进来，询问他需要做什么，打断了他们的对话。

"不用，芝加哥的第二封电报还没有来"，莫腾回答道。

"哎，克鲁斯，你懂一些外语吗？"

"在念书的时候，我学过一点法语，自从当兵后已经全忘光了。当我做了警探以后，我又开始学了一些法语课程。"

"你认为你的法语能力足以应付在法国的活动吗？"

"会遇到什么我还真不清楚，特派员先生；但是我会不遗余力的。"

"我希望委托你完成在尼斯的侦察任务。"

"我一定出色完成任务，特派员先生。"

"这次的任务是调查是谁在尼斯邮局总部主张爱丽丝史密斯小姐的到达邮件。我有理由相信，一定是我们正在调查的弗朗哥詹姆森先生会这样做。大概是用这个办法，你去邮局窗口查看到达邮件，看上面是否有史密斯小姐的名字。这个观察任务不会很容易。"

"噢，这样的任务我已经做过，特派员先生！"

"我知道，你办事我放心。但是在国外做这样的事情，不比在国内容易。你一定会做好的，你到达尼斯后，立刻向当地警局报备，转交我一会儿给你的信件，他们会帮助你的。最理想的是那里的警局会安排邮局的值班人员帮助你，你在大厅，等候有人要取爱丽丝史密斯信件的时候给你信号。然后跟踪这个取信的人，不要惊动他，看他最后转交给谁。跟踪结果立刻用电报发给柏林。但在跟踪的时候，一定不要让他发现，甚至这个人要离开尼斯也不要紧。你可以继续跟踪，并把你每一站的地址都报告给柏林。这位詹姆森先生的相貌我之前已经跟你描述清楚了，对吧？”

"是的，特派员先生。我什么时候出发？”

"坐最早的一班火车，你可以在酒店里查到时刻表。你一路要经过科隆，巴黎，里昂，中间不要停留，这是500马克；到我们下次见面的时候这些钱足够了。”

"够了，特派员先生，再见！”

"再见，克鲁斯！好好完成你的任务！”

"我会尽全力的，特派员先生！”

克鲁斯向莫腾致军礼后离开。

"让我们希望詹姆森不会变得那么多疑吧！"艾迪特疑心重重地说到。

"克鲁斯宁可放弃猎物也不会被发现；我非常了解他，他就像一个优秀的猎犬。但还不能达到完美的高度，因为他还缺乏综合能力的天赋。”

"但是你做到了！”

"我还要继续完善，因为我认为这是一个刑事警察必备的重要素养，还需要不断打磨。”

"因为什么？”

"一个人不应该固守一种判断，哪怕甚至无可质疑；但是，一个人应该经常也考虑一下出现错误的可能性。”

"在您的教诲下，我很快也会成为一个出色的女侦探。”

"太可惜了，你不必要做这个。！”

"不要误解我，作为一个业余爱好，我希望能跨界一次。按照德国人的标准，我永远不会成为一个合格的家庭主妇。”

"我是否有权利问一下，尊敬的小姐，如果作为一个德国人你怎样表现你的家庭主妇形象呢？”

她惊讶地看着他，"诺，作为一个妻子，应该全心全意地献身于家庭，清扫房间，做饭烘焙，教育子女，以及其他属于家庭生活的事情。"
"那么，女人就不应该有精神生活了，是吗？"
"那样做就根本没有属于她自己的时间了！"
"在你所钟情的那个社会阶层中你认识这样的女人吗？"
"没有，还没有。但是德国的妻子不都是这样被描述的吗？"
"你从谁那里听到的，是那些和你一样不了解多少的你认识的那些尊敬的女士们吗？我的职业使我有机会游历各国，并深深的了解他们家庭的生活。所以我有资格做出一个正确的，不带任何偏见的，建立在冷静的各种范例比较基础上的判断。这个判断是这样，德国的妻子可以视作一种典型，在所有现代国家中处于首位，不仅能够把家庭事务做好也能有自己精神方面的良好发展。"
"我以前怀疑你是奉承 — 我现在虔诚的取消这种怀疑；你还真不是一个谄媚者!"
"我永远不会那样做的。如果不是那样的话，如果我太直白的表达我的想法就会引起你的不快。"
"我愿意同样的坦率的向你承认，如果其他民族的好素养也会在你身上被发现，那我就太高兴了。"
"例如美国，对吗？谁告诉你这就没有呢？我非常了解你们美国妇女的自信，以及带着这种自信参与各种社会活动，她们的实践意识，以及并不机械迂腐的行为的智慧。但是这些好的品质也遭到一些质疑，有时甚至更差，在我看来，当然并不比其他人更有权威去评判，甚至完全抹去了优点。"
"差在什么地方呢？"
"　那些美国女人可以一整天或半天躺在摇椅上

沉浸在或看书，或享受美食中，而他们的丈夫或父亲却辛勤的工作，努力满足他们的尽可能的确幸和对理想的憧憬。我想指出，首先丈夫这种无节制的骄纵和放任是错误的，但是他们的妻子或伴侣不努力为家庭工作只是坚持这种生活也是不妥当的。但这并不妨碍我更喜欢献身于家庭事务，甚至有时候还因此而牺牲了自己的精神生活方面的兴趣的妻子，然而聪明的丈夫很快就会发现这种情况并予以纠正。"

"这样的男人和美国女人在一起是不会快乐的，你说对吗？"

"当然不是这样！"他认真地注视着她，特别是也同时直视着她的略显忧郁的眼睛。"圣经里面是这样写的：上天因悔罪之人而喜悦，其喜悦远胜过有99个无需悔罪之人！（路加福音15章）如果那样的美国女人能够像德国女人那样由于对丈夫的爱而转化为积极的工作，—这当然需要大量的精力和一定的自我牺牲—，我认为这并不是小聪明或妥协，而是一生婚姻幸福的基石。— 但是，不早了，麦肯农小姐，我们还要有长长的旅行。为了这个我不能长时间的用这样学术般的讨论来打扰你。"

"学术讨论？难道这样的讨论对现实生活没有意义吗？"敏锐似乎又不满的目光从她的眼里直击着他。

"是这样"，他又平静地说，同时她也从他们两个坐着的桌子旁边抬起身来。

"哦，晚安！"和以往一样没有伸手，她快速的离开了他的房间。

他目送着她离去，耳朵里听到的是她衬裙的沙沙声，似乎嘴唇也发出了要说话的声音，为什么他开始叹息了呢？

与艾迪特谈话后莫腾躺在床上很久才睡着，睡着后他做了一个混乱不清的梦并且产生了奇妙的幻想。他骑在马上，追逐着詹姆森，并且在路上骑的飞快，最后抓住了他，但是双臂抱住的却不是詹姆森，而是艾迪特，她笑着，带着爱恋的神色和情感注视着他。他不知道对这个梦是高兴还是生气。他快速从床上跳了下来，穿上衣服，叫了一杯咖啡。

"先生，您的电报也来了"，房间服务员殷勤地说道。

"在哪里？"

"在送信人那，我马上拿过来。"

几分钟后，服务员把电报送了过来。莫腾打开电报，是从柏林来的，电文是："平克顿获悉：詹姆森的电报是由艾伦伯克转交，到今天为止是在伦敦，然后尼斯。俱乐部秘书给的信息是詹姆森会去维也纳。"

莫腾再一次把服务员叫了过来："艾迪特小姐是否可以见面了？"

"我马上去问一下。"

五分钟后服务员又来通报，"那位小姐正在喝早餐巧克力"。

"请转告她，芝加哥的电报来了，她什么时候能准备好我可以见她。"

又过去了五分钟，服务员来通知一刻钟以后，那位小姐在阅读室等候。

她准时坐在了阅读室，莫腾亲切的问好后把芝加哥的电报交给了她。

"他真的去了伦敦，现在在去往尼斯的路上！"她几乎是喊了出来。"他在伦敦想得到什么？"

"你还记得昨天我对你说的话吗，我迫切想知道，他是如何在利维耶拉安排这件事？"

"太好了！哈哈，我明白了！他是担心，如果在那里他用一个肺结核女病人来代替爱丽丝，这件事就太容易被发现了，就是这个原因，他去伦敦物色人选，是这样吧？"

"你的天才般的分析能力是如何这么快就爆发出来了！这就是事情的全部。如果他怂恿女病人去利维耶拉，扮演你的死去的女朋友的角色，这就要给他带来很多麻烦事。住在利维耶拉需要不小的资金，而拥有资金实力的人至少不会受他摆布。这样他就要找一个穷人，还要是母语是英语的人。最好是能找到美国女人，但是跨洋旅行他会失去很多时间，所以他转向了伦敦。"

"那么我们现在就应该马上出发，调查详细的情况！"

"越快越好！"

"我随时可以出发。"

"那太好了。我刚才已经确认过了，两个小时后有火车出发，是去往加来的快车。我现在也非常想得到维也纳的电报，估计很快就会到。但是伦敦更重要，维也纳的电报就要发出来了，我马上去一次邮局，要为这份电报预存资金，我很快就回来。"

"正好我利用这段时间做好出发的准备。"

第五章 火车上的对话

"你打算怎么做才能查出詹姆森带着谁跟他在一起？"当他们坐上火车后艾迪特问他。

"这个不是太难，为了找到合适的不公开的女病人好像他没有那么多的时间。所以我们应该重点调查医院，从那些正在接受治疗的肺结核病人中寻找信息。"

"也要去那些私人诊所？"

"我认为没这个必要，私人诊所费用高，只有有钱的病人才能负担起。但是，正像我说的，詹姆森需要没钱的女病人，因为只有那些病人才会同意按照他的意愿用爱丽丝史密斯的名字登记。另外，你是不是已经给尼斯写过信，说很遗憾你不能去那里？"

"是的；我还补充说，关于爱丽丝的健康状况的更多信息我正在咨询德累斯顿，后续邮寄。我已经把明信片给了克鲁斯，他答应给寄出去。"

"那没问题，克鲁斯办事可靠，或许他已经在尼斯发现了詹姆森先生。"

"如果他没有成功，怎么办？"

"诺，或许我们在伦敦会发现一些什么，找到罪犯的线索。"

"但是，即使我们做了努力也没有实现我们的期望怎么办？"

"那样的话，我们就采取另外的办法，具体什么办法还不能确定，这要取决于这期间我们的调查情况。但是有一个问题是必须要回答的：你认识艾伦伯克那个女人吗？就是芝加哥电报里提到的给詹姆森转交信件的那个人。"

"不认识，我从来也没有听见过这个名字。"

"可以设想这个女人也是与詹姆森有暧昧关系的女人。我们也需要平克顿来调查这件事，但，不是迫切需要马上知道。也许你哥哥能查出这个信息。"

"需要我马上发电报吗？"

"信件就可以了；如果在跟踪时需要快速收到伯克小姐的信息时，我们可以即刻拍发电报。但是信件要马上发出，因为大约一周左右就能达到目的地了。在加来到多佛的汽船上面写可以吗？"

"我可以马上就写，或者在火车上，或者在车站。"

"那到没必要；我们如果在多佛寄出的话，到达的时间不会太晚。"

然后一路无话。那晚的谈话后似乎给她带来的是不好的情绪，一直没有平复。

莫腾有点后悔莫及，他也不否认，这种不好的情绪是冲他而来的，因为一路上都是闷闷不乐。直到包厢里面又进来几位先生后，气氛才发生了一点变化，这几位先生都跟她找话聊天，她明显地毫不迟疑地就和他们聊了起来。尤其是其中一位穿着平民服装的来自克雷费尔德轻骑兵团的军官，谈话中透露着迷人而生气勃勃的神采。起初莫腾只是在听着，然而他的训练有素的敏锐的眼神毫不掩饰地来回从艾迪特扫视到他，艾迪特似乎在看他对这件事是如何反应。但是也许她并没有从他的沉默中得出他生气的结论。这样他不得不中断沉默找到一个合适的时机加入了聊天而且展现出了温和的幽默能力，这当然很奏效。直到这几位先生到达目的地下车时，他们一再表示今天是他们少有过的这样的愉快旅行经历。

当包厢只有他们两个人的时候，沉默又开始了。

"为什么今天你不愿意和我说话了？"艾迪特突然问到。

"似乎尊贵的小姐首先不喜欢和我说话的吧。"
"现在你仍然不愿意和我说话，是吗？"
"我希望你不要认为我是一个那样轻浮的骑士！"
"如果你是由于骑士的责任而钟情于我，那我宁可不要！"
"我有什么权利要求更多呢？"
"我们现在是合作者，莫腾先生，我们的目标是一致的，在这种情形下，我们应该也结成真正的友谊，对吗？"
"当然，但应该是双边的。"
"谢谢！我真的受伤了。我差不多似乎觉得你认为异性之间的友谊是不可能的，并且设法保护自己不卷入这种友谊，对不？"
他笑了，"不是这样，我并不拒绝友谊，但是我相信这种友谊势必要在其中的一方发展成为更为亲密的关系，这是常见的。"
"那么我们就是不常见的那个例外了，对吗？"我想，关于我，我能做到，你大概也和我是一个想法，我说的对吗？"
"不，不对！"
"嗯？你真令我吃惊！"
"我确信，我也知道我不会说有亲密感觉的任何一个词。"
"但是你不会保证在你身上这种感觉不会发展，对吗？"她问到，在她深邃的眼睛里开始快速地明亮起来。
"不保证！"他平静地说到。"至少我没有那么老，当然也不及你那么年轻。但，如果我向你肯定，尽管我们长时间在一起，会唤起我的某种感觉，我也不会暴露给你，引起你的片刻不快 — 哎，你怎么笑了？诺，如果你喜欢，我也可以说点别的 — 让你高兴一会儿 —"
"讨厌！"

"你有感觉了！嗯，片刻的快乐一定让你满足了！炙热的爱与对不幸的冷静认识的结合显示出独特的魅力！"

"那太不自然了！"

"你现在想讨论什么是不自然的，什么是自然的？还是把它留给精神无产者吧！"

她沉默了下来。虽然多年来在不同的国家的优秀的文化圈子里浸润，已经使她足够机智敏锐，但是仍然需要时间找到一个恰当的应对，这更刺激着她。在和其他睿智的朋友聊天时她总能做得如鱼得水，可是对他却不能像对其他人那样的应对自如，相反为什么却显得束手无策慌乱无章呢？

她清楚地知道原因：不能同他谈肤浅表面的问题；他总是能看到问题的实质，达到一定的深度。他就是一个德国的书呆子！她在心里面嘲笑他，可是这种嘲笑并不真实也不是真正的发自内心。相反，一路上越过英吉利海峡，越来越接近英国首都，他们的谈话也越来越融洽，越来越有共同点，他整个人就越来越占据她的内心，一点也没有不快的感觉。一到达伦敦后，莫腾为她安排了舒适高级的宾馆，然后他就想立刻开始对医院的调查。但，艾迪特坚持要参加一起调查，他只好让步同意。他们分头寻找，并决定要经常打电话相互沟通进展情况，一旦二人中一个人找到目标，另一个人就不必再做不必要的寻找。

但是这种双边通话和各自的努力都没有什么成果。他们晚间先后回到宾馆沟通情况，并没有发现詹姆森从医院带来莫腾猜测的那样用来替换史密斯的女人，至少没有从伦敦带来。莫腾再一次地复盘了自己的思路，正面的反面的，最后他依然确信一定是这样的结果，他必须坚持下去。当天晚上，他和艾迪特共同浏览了最近几天的各种杂志，看看是否能发现詹姆森寻找理想女性的广告。伦敦的杂志广告页上密密麻麻有很多小条目，这真是一个麻烦细致的工作。然而结果却令人失望，艾迪特俊俏的脸庞都变得苍白失色，透露出她的精疲力竭。在莫腾的一再催促下她才去睡觉休息。

莫腾没有发现什么，他静静地把身体靠在宾馆房间的椅子靠背上，再一次点燃了烟袋，他最忠诚的情人，然后开始整理自己的思路。各种想法不断闪现，又不断消失，最后终于有了一个似乎突破性的想法。

詹姆森对艾迪特假冒说有生意上的事情其实是来欧洲洲享乐，这样他就不会完全没有商务上的事情。那么他会怎么样做呢？他的企业也一定会和伦敦有联系，他一定不会很快离开伦敦。那么他能住在哪里呢？一定不会是酒店，按照他的生活习惯，他一定会住在为外国人开办的公寓里面。

在德国开办公寓是要申报的，这很容易调查住在公寓里的人，但是在英国却没有这样的法律条文。要把在伦敦的每一个公寓都调查一遍无异于大海捞针 — 除了那些偶尔提供给外国人收费住宿的家庭以外，也需要几个月的调查。

但是如果詹姆森确实像艾迪特说的那样他假借出差来欧洲寻欢，他一定会避开他的商业伙伴。莫腾了解他的那一类企业，在伦敦差不多有一定数量的公司与芝加哥的这类企业是有商务往来的。是不是可以询问这些公司不久以前詹姆森来伦敦时的住处，这似乎会有效果。好像应该有英国记者出于英国的习惯带他去当地俱乐部消遣，和他相识会提供一些他的信息。

但这样的调查还是应该慎重，最好由英国的侦探来做。因为虽然莫腾的英文很好，但是如果冒充英国人去调查，一旦引起别人的注意，就会给詹姆森通风报信。莫腾知道自己如果不把事情想明白，搞清楚，他是不会睡觉的，他立刻站了起来，叫了一辆出租马车，去往英国首都伦敦警察厅。

值班警察接待了他，确认了他的身份以后，格外的热情。但是要找到一个合适的警员协助调查也是不太容易。皮尔逊警员向他推荐了吉拉尼，一个最热衷调查的男人，也是英国注册警察。如果莫腾同意这种服务，马上可以电话通知那个人。莫腾没有理由拒绝警员的这种推荐，同意了。没过多久吉拉尼就来了，莫腾见面后几乎要后悔自己的同意。似乎吉拉尼是一个典型的社会"油条先生"。他看上去属于上流社会圈子的人，但却不经意间将财产挥霍殆尽。透过警察办公室的明亮灯光，可以清楚的看到他饱经沧桑但依然帅气的脸庞上的每一个细节。莫腾对他的第一印象并不好，面部表情并没有反映出睿智的特征，反而有着憨厚温顺的感觉似乎比较适合做其他方面的职业而不是他做的那些工作。但是当莫腾把要做的事情通知他，并许诺给与高额的报酬，以便他愉快而高效的完成任务时，— 莫腾知道艾迪特会付给他足够的数目 — 吉拉尼的脸上立刻浮现出异样的光彩，和当初的特点完全不一样了。

吉拉尼重复了任务："调查同美国特别是同芝加哥做生意的企业家，这是最重要的程序"，然后又说到"我从明天早晨九点开始工作，但是今天晚间我就开始起步做准备工作了。我和银行的一位官员有朋友关系，他和许多芝加哥的企业有联系，也许和你提到的企业就认识；如果不认识，我的朋友也一定知道哪一家银行与这个企业有业务往来。如果我们知道了是哪一家银行我们很快就会知道詹姆森先生和当地的哪一家企业有业务往来了。我现在就去拜访我的朋友。"

"这太好了"，莫腾说。"你一旦了解到什么信息立刻来宾馆告诉我。"

他答应后就离开了，在向伦敦警局的这位警员的帮助表示感谢后莫腾也离开了。

莫腾没有按部就班地等着吉拉尼的报告，他也同时开始了他的步伐：他去了邮电总局询问是否有从维也纳来的电报，昨晚他已经去问过一次了，这是在德累斯顿就定好的事情。这次电报终于到了，电文是这样："从芝加哥来的弗朗哥詹姆森在这里待了十二天，住在莱亨菲尔德居特尔大街21号。"

十二天；莫腾不能拒绝对他的对手的赞扬。无疑，史密斯这样做就是为了制造不在现场的证据，派了一个人去维也纳冒充他。那那个冒充他名字的人是谁呢？这个现在也不是太必要马上搞清楚；现在要做更重要的事情，那就是他应该休息了。到达酒店的时候，已经是下半夜了，已经感觉到很疲劳了，但还是过了好久才进入梦乡。呈现在他脑海中的一幕幕，从过往直到现在，越来越使他坚信他的努力是正确的，适宜的。在所有的画面中，艾迪特的形象总是挥之不去，他努力想做到这一点但始终没有成功。

为什么是她会突然闯入了他的生活，而且是那么生动，迷人的矗立在他的面前，是她的富有吗？

他叹了口气，放弃了希望，虽然接触的时间不长，但是那种让人欲罢不能的诱惑一再地出现在他的面前。尽管他的性格刚毅，尽力不被她的魅力所左右，但艾迪特优美的外貌，直率而真诚的性格不仅深深地打动着他，恐怕与她接触过一段时间的任何一个人，也不能不为所动吧。至少他对自己还是没信心是否能把持住自己。

他应该就这样了吗？

不！在与她的聊天中他已经充分清楚地表达了他们之间的差异。他要娶一个有钱的女人吗？不能，即使目前的状况需要资金，他也不能向一个有钱的女人伸手。是的，这是绝对不能忍受的，想到某一天富有的妻子会嘲笑他的清贫，男子汉的骄傲瞬间荡然无存。

或许在他的这种情况下那样的责备似乎合情合理。他已经习惯了自己的生活方式；他的薪水和利息收入完全可以无忧无虑的生活甚至不过分的奢侈。但是能保证美国女人也是这种不过度的需求，他们能那样的共同生活吗？她的罗曼蒂克式的习惯或许在最初的一段时间内可以在她的生活标准中得到一点收敛；所谓在蜜月期新婚夫妇都会用对方的眼光来审视过去的一切。但是，蜜月期过了以后呢？她的需求不会增长吗？或许至少要达到她未婚时的标准吧？那时会怎么样？难道他要对她说他的资金实力不能满足她的消费；这完全打击了他的自尊和骄傲。

然而，以他目前对她的了解，她是不会犹豫用她的资金来帮助破案的。她对这件事情一定会完全理解，因为事实也需要这样。甚至他也这样设想，如果他和艾迪特结婚，他们的婚姻生活绝不会受到这样的事情的影响。

但是 — 他不能保证这一点不会到来，但还是有一点担心他们之间会出现不可逾越的鸿沟。他担心如果这一刻到来的话所拥有的一切都会丢失。一想到这些消极的东西，他似乎仍然要坚持那个决定，即立即扼杀掉这种爱的萌芽，趁它还没有长成参天大树？

这样反反复复的烦恼和焦虑使他长时间不能入睡，但最终还是自然的力量征服了他，一切都顺其自然，让命运安排一切吧，带着这种坦然，他渐渐地进入梦乡。

第六章 伦敦的吉拉尼

几个小时的睡眠对莫腾足够恢复精力了，起床后他活力四射，快速穿好衣服后，就让女服务员通知艾迪特中午过后他会和她联系，上午他会一直很忙，现在不需要她帮忙，好好休息就可以了。

在他等待吉拉尼的时候，他一遍又一遍地把案情的来龙去脉，向不同的方向反复梳理。他已经很早就知道这句至理名言，不仅要考虑到可能，也要考虑到不可能，甚至更要考虑到完全不可能。

正在他沉思的时候，吉拉尼来告知，他很快查明，詹姆森一般住在艾伦伯克小姐的外国人公寓，丘吉尔大街62号，不久前来伦敦也是住在这里。伯克小姐从去年九月份开始一直住在芝加哥，这期间她的公寓由卡罗莱纳布劳顿管理。

听到这个消息莫腾更坚定了自己的判断，他付给了这位警察他允诺的劳务费用，并感谢了他的出色工作。吉拉尼走后他立刻给艾迪特留言，他要去邱吉尔大街62号，并且要在伯克小姐的公寓里过夜，会在那里很快给她消息。留言由女服务员送达，他迅速整理行装，付了酒店发票后乘坐出租马车到了丘吉尔大街。

在公寓一位漂亮的女服务员接待了他，因为女管家还没到点上班呢。服务员领着他看了要租住的房间，他并没询问价格。在她介绍中有明显的爱尔兰口音，在伦敦的女服务员中爱尔兰人占了大多数，安顿好房间他就同服务员聊了起来。

"美女姑娘，你在这工作很久了吗？"他问。

"两年了，先生。"

"那你一定认识我的朋友詹姆森了，是他推荐我来伦敦就住这里，对吗？"

"认识，我对的詹姆森先生很熟悉。如果他是你的朋友，你一定认识伯克小姐了，对吗？"

"当然认识！"

"她现在怎么样了？"

"哦，很好，她很快就适应了芝加哥。"

"她还是那么漂亮吗？"

"我不知道她最初的形象，但是她现在仍然非常漂亮。"

"哦，她的照片在接待室的壁炉上，放在詹姆森先生的旁边。"

"我一会儿去接待室看看。詹姆森最近在这里住过吗？"

"如果你早来几天的话，你就能遇见他了。"

"可惜，可惜！我真是太想见他了。也许他很快回来吧？"

"这很可能，但我想需要过一段时间他才能回伦敦吧。"

"也许，布劳顿女士知道他什么时候回来吧？"

"可能，或者贝茨医生也能知道，詹姆森和他有过几次接触。"

"我想起来了，弗朗哥跟我说起过他，他住在附近，对吗？"

"是的，诺森伯兰大街14号。在那里他有一个诊所。"

"贝茨医生什么时间开诊？"

"这个我不太清楚，大概是上午九点到十一点吧。"

"这里有客人是他的病人吗？"

"没有，幸好没有。你很难想象，这些病人会带来多少劳动量啊。有些病人几乎每一刻种就需要一些什么东西。去年冬天詹姆森先生当时感冒的很重，贝茨医生嘱咐必须在床上静卧几天。我的天啊，他可真是脾气太不好了！当他能下床，最后离开了，我可是太高兴了。"

"这个我相信，但是没病的时候他还是很好的，对吗？"

"嗯，很好。一般人都不会这么说的，而且帅气，特别帅气的一个人。如果他用他的大眼睛观察别人的时候，一半的人害怕他，一半的人对他崇拜有加，欣喜若狂！哎，对不起了先生，我跟你聊的时间太长了，我还有很多工作要做呢。"

她迅速的离开房间，莫腾准备了一下，要去看一下贝茨医生。

贝茨医生的病人很多，不太可能那么容易的去直接跟他谈詹姆森的事情，莫腾只好坐在候诊室等候。当所有的病人，包括在他后面来的人都结束问诊以后，他才走进医生办公室。对贝茨医生述说了他所受到风湿的折磨和痛苦，贝茨诊断后给他开出了按摩的方子。谈话中他告诉贝茨医生是他的朋友詹姆森推荐来找他的，说贝茨医生是一个非常有经验的医生。

"詹姆森先生已经回来了吗？"贝茨医生惊讶地问到。

"没有，他推荐我已经好久了，他跟我说过你给他很快就治好了重感冒的事情。"

"哦，那不是什么大事，"贝茨医生笑着说，"他有病的时候可真是坏脾气，当人们完全健康和完全有病时所表现出来的自然状态是不一样的。那时我一点也不喜欢他，但是现在我开始知道他还是招人喜欢的人。"

"我是否可以问一下，是什么原因使你改变了对他的看法？"

"是有一件事情，但是他不愿意宣扬；但是你作为他的朋友，我可以说给你听，当他有病时候，经常来我这里看病，在候诊室他就遇见了一位年轻的女病人，伍德维尔小姐，她得的是肺结核。他是一所平民学校的老师，她的父母已经过世，也没有什么其他的亲戚。他对她产生了兴趣，她也确实漂亮；或许唤起甚至坚定地让他产生了对她的同情。"

"他对我讲过一些关于她的事情。她有漂亮的金黄色的头发，蓝眼睛，苗条适中的身材，对吗？"

"非常正确，非常准确，诺，当他认识她的时候，他一再问我，让我说实话，她是否能好转。我实在不能够给他更多的希望；因为病情真的是不太好。听到这些以后，他给了我五英镑，请我给她买些药物和营养品。而且还说如果需要，他也会给付她的生活费用，为了我的病人着想，我同意了。之后他从芝加哥多次邮寄足够的资金给这个病人，我也经常给他报告病人的情况。遗憾的是病人的状况越来越糟糕，我最初的诊断是正确的。伍德维尔小姐越来越衰弱，当前不久詹姆斯来到这里时她已经颤巍巍，瘦弱的像自己的影子了。看到她的时候他表现出了深深的同情；我说虽然病人的生命只有几个月的时间了，但是能够延长生命的唯一可能性就是到南方，那里的气候对她有好处，他毫不迟疑地决定他出资带她去利维耶拉。"

"这真是雪中送炭啊！"

"是的，伯恩哈德先生！"莫腾在公寓用这个名字向贝茨医生预约的。

"是前天他带着她离开的，今天他们应该已经到圣雷莫了。"

"你认为，那位小姐很快就会不久于人世了吗？"

"这是不容置疑的，她的生命不会超过四个星期。"

"可怜的女人，她仍然还非常年轻，对吗？"

"她只有二十六岁。"

"我在重复一遍：詹姆森先生的行为完全是令人尊敬的，他的努力就是为了她能在生命的尽头体面愉快一些。所以任何怀疑其动机，是否趁人之危，贪恋女色的说法都是可以排除在外的。"

"你说的对，除了这件事，或许你已经知道，詹姆森在和阿德隆恋爱中，此事并没有公开，大概是阿德隆伯克。"

"是的是的，这事他对我并没有保密，为什么到现在他还没有和她结婚呢？"

"他的年迈的叔叔还在世，他一定希望詹姆森是未婚状态，如果结婚了，就不能继承他的财产了。但是这位老先生拥有那么多的财产，已经七十多岁了，而且身体也不好，大概也是用不了多久就会过世的。正因为这样，詹姆森也宁可保持着这种未婚状态。"

"这种情况其他人就不方便加以评论了。哦，我是不是耽搁您太长时间了，医生先生，我非常感谢您，再见！"

"再见，先生！如果你看见詹姆森先生，替我向他问好。"

莫腾答应一定，就离开了。是时候见艾迪特了，他对这次调查非常满意，把见到医生的情况马上通报给了她。

她认真地听了他的讲述，"我为什么不能和你一起去呢！"她几乎是喊了出来，语调中似乎对他有一些责怪。

"我没有权利打扰你休息啊，这么长的旅行刚结束，你一定需要好好休息。"

"我还没有像你认为的那么羸弱不堪，你自己好像就完全没怎么休息，对吗？"

"哦，我还是睡了几个小时。"

"那是不够的，你那样会毁了你的健康！"

"这应该解除了大部分的疲劳，也确实解除了。你这么关心我，心太好了。"

"作为一个好战友，我应当这样。但是我们的事业呢！我们现在做了什么？所有的一切好像都做完了，我们就这样离开？我感觉好像我没什么用处，对吗？"

"到了利维耶拉你的作用可就大了，因为认出詹姆森，跟踪他才是最重要的。我确实希望凭着什么借口我会拿到放在公寓里面的他的画像，但即使有了画像的帮助对我也是不容易的，他一定会更换服装的，这一点是确定无疑的。"

"你的意见是什么？"

"这是确定的，但是我们还没有完成全部的任务。除了要拿到他的画像，我们还要了解了伍德维尔小姐的一些情况！"

"这会有什么帮助？"

"我希望，克鲁斯一定会成功的发现詹姆森的蛛丝马迹并确定他的藏身之处，但对此我们还没有把握。相反，如果考虑詹姆森会特别小心警觉，往往又会担心这一点。要考虑到，詹姆森是如何这么长时间策划他的方案，他在一年前的冬天就认识伍德维尔小姐了，现在他带着她，用她来代替死去的爱丽丝，这证明，她们是非常相似的。我询问贝茨医生的时候他已经确认了她的头发的颜色，眼睛还有体型。我甚至猜想，正是这种相似，才使得他策划了这次犯罪的计划。他精心准备了一年，他绝不会单纯的为了一个陌生的肺结核女人而付出这么一大笔钱的。在这一年多的时间里他制定了似乎完美的计划，无疑他也一定考虑到可能发生的对他不利的事情并准备了应对方案。所有能发生的事情，也包括观察他在邮局取信的情况。但是另外一个需要考虑的是他现在会认为他是安全的，至少是没人跟踪他。但是也要注意，克鲁斯是否能够成功。如果不成功，我们后续的追查会面临更大的困难。

"尽管这样，我们现在还是知道他在圣雷莫了。"

"他在那里应该完全不知道贝茨医生已经把给病人推荐的地址告诉了你。对我们有利的是詹姆森和她两个人一起旅行，两个人要比一个人更容易发现，特别是其中一个还是女人。如果把自己的女人留在家里并跟她断绝一切关系那样就很难抓获了。因此，我们利用伍德维尔小姐的线索，找到詹姆森的行踪并非没有可能，所以我们要尽可能准确收集她的详细资料。"

"对，但是用什么样的方法才得到详细的信息呢？也不能简单的去问贝茨医生吧？"

"是的，如果这样能使他产生怀疑。但是在没有其他办法的时候这也不失为一个办法。"

"除了这个你还有什么好主意？"

"是否可以了解一下伍德维尔小姐原来住在什么地方，或许能了解一些有价值的信息。"

"这个任务能否交给我来完成？"她一边看着他，一边请求。

"如果你认为你能完成任务，可以，但是千万要十分小心。"

"我一定做到。"

"现在我想先吃点东西，真的好饿了。"

"当然！我们共进早餐行吗？"

"如果你喜欢，我很愿意。"

他们一起来到餐厅吃早餐，饭后莫腾请服务员把吉拉尼请过来。

大约半小时后，吉拉尼出现了，莫腾向他问好后说，"伍德维尔小姐有病，不富有，她一定住在她任教的学校附近吧，首先帮我调查一下这件事。"

"这应该不是什么难事"，吉拉尼说，"因为伍德维尔小姐一直有病，是贝茨医生的老患者，所以她住的地方应该应该距离学校和贝茨诊所都很近。我会到伦敦警察局查一下这一区域的学校名单和在职教师，我拿到名单后，用一段时间先给我知道地址的学校打电话，一旦我查到相关的学校立刻通知您。"

"很好；我允诺会给你好的报酬"，艾迪特说到。一个小时以后吉拉尼回来了。

"事情办的很顺利"，他说，"伍德维尔小姐在福斯特女士的私人学校任职，我打电话已经确认，对方说她是一个可怜而又可爱的小姐，学校对这位职员表示最深切的同情。伍德维尔小姐住的地方，离这里不是太远，在剑桥大街112号，房东是乌伯尼先生。"

艾迪特向他支付了辛苦费，钱很多，从吉拉尼脸上所流露出的惊讶高兴的表情可以看出来。临别时他表示可以随时待命。

艾迪特一个人去往剑桥大街，莫腾返回了公寓。临别时他们确认了在她的宾馆见面的时间。

乌伯尼先生是一个大家庭的鞋匠，他通过出租一个房间来增加他的微薄收入。艾迪特此行用一个非常好的借口，要租房间。乌波尼妻子带她看了窄小而普通的房间，并提醒到，两天前住着一位小姐，现在去了利维耶拉。

"她一定家境不错啊，对吗？"

"那倒不是，她刚开始在一所平民学校教书，后来感觉压力太大就转到了一所私立学校，她有一个叔叔在美国，经常资助她。"

"真的吗？"— 伍德维尔小姐有一个富有的叔叔似乎是她杜撰的童话，目的是避免别人的怀疑。但如果人们知道这个送给她生活费的人仍然很年轻，怀疑是一定存在的。— "好像去往利维耶拉的费用也是他邮寄的，对吗？"

"他亲自来陪她去的，当然他来伦敦也有别的事情。"

"你见过他吗？"

"没有，他没有来过这里，他是一个有点奇怪的人，因为他极为严肃的告诉伍德维尔小姐一定不能留下任何东西在这里，特别是照片。我的上帝！可怜的小姐，他能有什么东西啊！我们还能靠她那点东西发财！她的那点东西一个金币都不值得！但是她的画像我倒是有一张！去年的圣诞节她装裱在一个漂亮的小相框送给我的，是她的自画像，很早期了，那时候她还很健康。"

"我可以看一下那张画像吗？"

"如果你想看，当然可以！"由于希望出租房间，好心的女士迅速来到她和她孩子住的后屋 — 她的丈夫在房子门口工作 — 取出画片，回来递给了艾迪特，她惊讶地发现画像和爱丽丝史密斯太相像了。伍德维尔小姐似乎就是死者的妹妹。

"真漂亮！"她脱口而出。"我想用这张画像作为一个模板画一幅大的画像吗；因为我是一个画师。"

"是一个画家？我可真没有看出来啊！"乌伯尼夫人说，看着这位简单而又精致的艾迪特小姐。

"是的，画画是我的一种爱好，你愿意把这个画像放我这里一段时间吗？"

"哦，我根本就不认识你，你能确保送还给我吗？这对我可是一个有价值的纪念物，因为我确实非常喜欢这位可爱又可怜的小姐；我可是尽心尽力地照顾她啊。"

艾迪特打开钱包，"我给您一个金币借用这幅画，并保证给您送还回来，过几周后你就能收到，您同意吗？"

"我收回画像的时候我要把金币还给您吗？"

"不，不，金币属于您的了！"

"哦，那样的话我就同意了！但是这有点太多了吧！看起来，您是一个有钱的美国女人，对吗？您的口音有点和我们的不太一样。"

艾迪特笑了。"我不说伦敦话！"她说。

"您一定知道这位年轻女教师的出身吧？"

"伍德维尔小姐来自纽卡斯尔，她的爸爸是一个煤矿的部长，但是在三年以前过世，而她的母亲去世更早，没有兄弟姊妹，可怜的小姐只有一个人生活在这个世界上，唯一的亲人就是这个美国的叔叔了。"

"这位小姐还有其他很多有联系的人，你知道吗？"

"以前有，就是他在平民小学工作的时候，一些同事经常来看她，他们经常来往。但她病的越来越重，这种交往就停止了，只有一些她在私立学校教的学生有时来看她，但也是越来越少，这是因为 — 因为 — "

"哦，因为什么？"

"因为 — 因为小姐的外貌变得越来越吓人了！"

"因为她的脸变得不好看了？她得的是肺结核，对吗？"

"哦，我的上帝，你知道这个事情？或许你不是来租房子的，对吗？"

"对，尊敬的女士，我不太中意这个地方，还有有害健康的肺结核，但是，请接受我付给您五先令作为对您接待我的时间的补偿，我会如期归还画像，您放心，再见！"

这位贫穷的女士一边说谢谢，一边陪着艾迪特走下台阶。回到宾馆她见到了正在等候她的莫腾先生。

她汇报了调查到的情况。

"怎么样？"汇报结束，她问。

"您在希望我表扬您，对吗？"

"是的！"

"这个评论你应该接受：一个老侦探也没有你把任务完成的这样好。"

"你是认真的吗？"

"当然是认真的！"

他的音调不存在任何疑问，她的眼睛由于高兴而明亮起来，并不源于事情本身，至少在这一刻她想起了可怜的爱丽丝，通常这时她感觉也应该收到他的亲吻，这是她应该得到的。这是她一生第一次做这样的事情，这远远要超过那些女孩子应有的基本素养，例如绘画，刺绣，音乐等等。每当他带着那种对上层美国妇女不爱劳动而德国家庭主妇勤劳持家的不屑的神色说话时，她就感到如芒刺背，现在她如释重负彻底舒畅了。

"现在我也想向你汇报一下我做的事情"，他继续说，"首先我确认，我所住的公寓里面服务员对我说的话，在公寓接待室的壁炉上面并排摆放着一男一女的两幅画像，在我认真端详两幅画像时候进来了一位女士，自我介绍是公寓的主人布劳顿女士。她不算漂亮但有时候还是个很有趣的女人。

'你在观察那两幅画像，对吗？'她问。

'是的，詹姆森先生画的比较像，但是伯克小姐现在的发型比较适合她，比画里面的发型更好看。'

'哦，您认识他们二位，先生？'

'当然，我们都在芝加哥，经常见面。'

'艾伦小姐在那最近还好吗？'

'谢谢，她似乎还不错，但是唯一一件事情是詹姆森先生的叔叔并不想死。'

'我想也是这样，但这是早晚的事情，因为只有那时我才能确认公寓归属在我名下，在这以前我还是要为艾伦小姐管理公寓。当然，詹姆森先生跟我说过，他叔叔身体非常不好。'

'我也听说了。'

'显然那个老人不可能活的很久了；他也不希望生活中会有什么奇迹发生了。'

'所以他的死对三个人是最高兴的事情：你，伯克小姐还有詹姆森。此外，你对我还有什么建议，布劳顿女士？'

'如果我有那个能力，我会做的。'

'伯克小姐请求我带给你一样最好的东西，你会选择什么？通常人们带给女人的有：金银首饰，化妆品，珠宝等，她可什么都有。'

'是的，是很难选择的，你打算花多少钱来买那件东西？这个我应该先知道吧！'

'二到三英镑的似乎就足够了。'

'哦，足够了，嗯，一枚戒指怎么样？'

'这个价格可以买很好的戒指，不能给你准备一个普通的吧。'

'是不是再加一个好看的包装盒？'

'用这个可以换一幅画了吧，我突然有了这个想法！我想找一个好的画师把这两幅画放大一些，然后送还给你，怎么样？'

'那她一定会很高兴！'

'那您一定要保证能很快就把画像完成送还回来吗？'

'当然，没有问题！'

'我现在就拿着画像找画师，你能推荐我画作好的画师吗？'

'画这两幅画的画师就住在几座房子前面，他的名字是兰伯特。但他非常忙，他一定也有仪器来放大图片。'

'我很快能找到。'然后我把带有相框的画像装进口袋里，和布劳顿告别后就来到了画师那里。当我跟他说明来意后，他说，或许他还有一些这两人画片，因为他每次都会多制作几张共客人挑选来复制。还真找到了，因为我委托他复制放大预付了一英镑，他甚至很痛快地把那些画片都给了我，因为对他确实没什么用。看就是这些画片！"

他从口袋里拿出来四张画片，显示给艾迪特看。

"这是詹姆森，几乎和真人一模一样，"她惊讶到，指着其中的两张说。"这张也确实是伯克小姐，我看过这张脸，但是是在什么场合，我现在确实想不起来了，这无关紧要，对吗？"

"在这种调查中，任何微不足道的细节都可能成为非常重要的证据！"侦探笑着说，"好好的思考一下这点。"或许是在芝加哥，或者在别的地方，除了上次在特里普茨，你从来没有见过詹姆森，是吗？"

"当然没有。"

"那么，一定是在芝加哥你见过她，因为她总是和他在一起，不然的话你不会一看到这副画，就能如此清晰地认出她的面容。在某个社会圈子里面可能没见过，因为当上一份电报来的时候我第一次提起她的名字你根本没什么反应。根据吉拉尼的调查，她只是在去年十二月二号才到达芝加哥。如果在某个场合你见过她的话，应该是在十二月初到一月末这段时间，你是什么时候离开芝加哥的？"

"哎，我想起来了！是在为密尔沃基火灾受难者捐款的化妆舞会上见过，她同弗朗哥詹姆森跳舞，给我留下了深刻印象！"

"史密斯小姐也在现场吗？"

"不在，那时她已经到欧洲了。"

"我猜想是这样，他不会让这两个人见面的。你看伯克小姐的眼睛，毫不隐藏热情的性格，爱尔兰的名字爱尔兰的人民远比盎格鲁人热情奔放。或许我们还能用得着她，但是现在，尊贵的小姐，在伦敦我们是没有办法用她做什么。你能做好准备在七点出发吗？那个时间有一趟火车不用登记可以从多佛到加来然后直接去巴黎，在从巴黎经过里昂到达尼斯。"

"当然，我能准备好。"

"那么，我在六点一刻到达这里。"

"好，但是在这之前我还是想对你说，你的任务也完成的相当好，没有一个侦探老手能做到你这么好。"

他笑了，她的称赞使他心情愉悦，"我尽力使你满意。"他的回答尽量做到谦虚谨慎，然后再见离开。

刚要动身的时候，伦敦警察局的信使转来了给他的电报。是克鲁斯发过来的，他说，为了安全起见在去往热那亚铁道线路的第二站韦勒弗朗什下的火车，然后来到尼斯；对观察做了充分的准备，特派员来后可以到邮电总局来找他，就在邮件寄存待领室的窗口不远。

第七章 去往法国尼斯

在尼斯莫腾给艾迪特安排住进了风景极佳，也是他每次来尼斯出差下榻的杜兰奇公寓。然后他迅速来到邮局，但是克鲁斯并没有在那里，于是他去了当地警局。在那里他得知，克鲁斯根据他的指示到当地警局局长报到，局长安排秘密联络人都梅斯尼尔，将邮局和克鲁斯之间的关系做出了这样的安排：让克鲁斯待在邮局的大厅里，当有人来取詹姆斯先生或史密斯女士的信件时，就会有事先安排好的邮局职员立即告知他。至今没有什么新的情况发生，詹姆森的信件没到，有一封从德累斯顿来的给爱丽丝史密斯小姐的信件到了。

莫腾请当地警局为他们精心安排的联络人杜斯美尼尔到邮局等候克鲁斯，如果他回来，立即把他送到杜兰奇公寓，莫腾自己也来到了艾迪特这里。克鲁斯并没有回来。

"他能去哪里了呢？"艾迪特问到。经过长长的旅行，而且大部分时间都是在卧铺车厢度过的，她洗浴过后，几乎焕然一新。

"我猜想他一定是发现了什么线索跟踪了过去，因为他电报告诉我是在邮局见面的，所以他一想到我会去，做完事情就会立刻回到那里的。"

"如果他因为什么事情耽搁很长时间呢？"

"如果那样的话，他会通过这里的警局通知我的。"

"如果詹姆森没有去取信件，他怎么能发现线索呢？"

莫腾耸了耸肩，"或许一些偶然的巧合帮助了他！到目前为止我们还没有因为那样的幸运而高兴，我们还要一步一步的努力。克鲁斯应该不会在外面太久，因为我们要加快努力，所以我要派他去维也纳，去调查是谁在那用詹姆森这个名字冒名顶替。虽然这不起确定作用，也暂时如此，至少有一定的意义。"

"或许詹姆森亲自在那里登记了然后又离开，但是在这里没登记。"

"这不太可能，像他这样的男人不会这么草率。在维也纳他的目的是制造不在场的证据，这一点毋庸置疑，而警局备案登记这一项是远远不够的。在他周围生活的人，和他有交往的人会了解到或说出来他在那住了很短的时间。不会，詹姆森绝不会这样做的，我甚至一秒钟也不会怀疑，他一定会派到维也纳去一个和他长得有点像，或者用什么办法让他像的人，用弗朗哥詹姆森的名字在那里生活，一直到这里的事情结束。但是我希望这件事情以一种他没有想到的方式，而且是他在任何场合下都想避免的方式结束。让我们惊奇的是，正像我们通过平克顿调查得到的那样，他让这些信寄到这里而又不来取，或者这些信就真的没有到达这里。"

"或许根本就没有给他的信件。"

"这是不太可能的。阿德隆伯克那么热情奔放的年轻小姐，深深爱着他，为了他把在伦敦盈利可观的公寓让她的朋友来管理，而跟随着他来到芝加哥，而又在没有任何理由的情况下让他独自一人离开她那么久，这是绝不可能的，一定另有原因！"

"那会是什么原因呢？"

"尽管有可能，但是可信度又不大，即平克顿的人引起了伯克小姐的怀疑，因为催着她用另外的地址给詹姆森邮寄信件。也许他非常小心，要求这样做，平克顿的电报说，是詹姆森要求把给他的信件寄到这里，但是没有说要用他的名字。如果平克顿知道了这些，就会在电报里附上这一条。"

"那么现在您打算怎样做？"

"首先我利用克鲁斯不在的空闲，估计他也是很快就回来，拟一份给最高检察官的电报，申请对詹姆森的逮捕令，没这个逮捕令我们在这什么都不能做。"

"如果遇见他难道不能马上逮捕他吗？"

"不能，在国外不能。只有所在国的警察才可以，或许是法国，或许是意大利，我们现在还不清楚我们会在利维耶拉地区的法国部分还是意大利部分能遇见他。无论发生哪种情况都要加倍小心和谨慎，涉及到美国人，如果要逮捕的话势必会引起领事纠纷，甚至在美国政府同意之前也不能引渡到德国。"

"还真是一个不简单的事情！"

"对，但是我又没有权利用其他方法采取行动。"

"但是，如果克鲁斯遇到了什么事情要耽搁很久怎么办？"

"如果发生了什么事情他一定会通知我，即使他没有得手，也给我们提供了两个机会。"

"什么机会？"

"如果詹姆森想要达到他的目的，他就会让伍德维尔小姐用爱丽丝史密斯小姐的名字登记。她还需要和这个医生相识，可以用这个名字给她治病。可以考虑的地方不太多，一个是圣雷莫，这个地方詹姆森去过，我不太相信他们能去这个地方，正如我说过的，这是贝茨医生推荐的地方，还有就是芒通镇，奥斯佩达莱蒂，博尔迪盖拉和戛纳。在这些地方的一个，适合治疗肺结核，爱丽丝史密斯，或者准确点说就是用这个名字登记的伍德维尔小姐就可以被找到。"

"分析到位，那么第二个机会呢？"

"你说过，詹姆森是个赌博老手，如果这是准确的，那么他就一定不会放弃这次机会去蒙特卡洛快乐一下，我们在那里会找到他。"

"这非常有可能，那么我们就一定不能失去这次机会抓到他。"

"这次这个任务，就是蒙特卡洛就要单独落在你肩上了。"

"我当然非常高兴能做点什么事情。"

"但那可不是很简单的事情，他一定会改变他的外貌，就像他写给你的那样装扮成陪伴史密斯小姐爸爸的朋友，一定是一个有点年龄大的先生。"

"哦，我一定会扒下他的画皮认出他的。"

"那就太好了。我现在去写申请报告，我们应该很快就能得到逮捕令。"

"我们一起祈祷！那现在我干点什么呢？"

"此时此刻不用，你参观一下这个城市吧，散步到贝滕山上，在那里可以鸟瞰风光，享受新鲜空气，直到考司考，或者回房间休息。"

"休息没必要，我一点也不疲劳。"

"太好了，我两个小时候就能完成工作！"

"那时我再来，再见！"

"再见！"

回房间前，莫腾对公寓女主人，他非常信任的杜兰奇小姐说，先不要将他和他的女伴登记通报给警局。杜兰奇女士知道他的官方身份，她明白应该服从他的要求。这样非常好，无论是艾迪特的名字还是他的名字都没有显示在外国人名单上，因为詹姆森不是不可能发现这个名单，以便掌握是否有他认识的人来到这里。

几乎在莫腾完成报告的时候，克鲁斯回来了。

事情是这样的，他回到邮局，邮局的人告诉他有人找他并且给他送回到联络人都梅斯尼尔那里，从他那里知道了莫腾警探长所住的公寓。

克鲁斯没有成功，这一点莫腾从他的脸上看了出来。

"诺，克鲁斯，发生了什么新鲜事？"

"对不起特派员先生，没什么新的进展。按照您的指示，我那天早晨到达后，直接去了警局寻求帮助。警局派的联络人陪我去了邮局，经协商同意，我在大厅逗留，窗口值班邮局工作人员发现有人来取詹姆森先生或者史密斯小姐的信件时，立即想办法通知我。但是，昨天和前天都没有发生什么事情。今天上午我站在前大门的窗口旁边在观察，大厅里面没有几个人，窗口那也没有寄取信件的人。突然我注意到一个年岁大的先生穿着讲究，招手'跑腿人'然后给了他一个纸条，他进了邮局他把纸条给了窗口，一会儿就收到了一大包信件，然后从这些信件里面找美国邮票信件。我跟在这个'跑腿人'后面保持一定的距离，我想这件事情很奇怪，为什么这位先生不自己亲自来取信件呢？"

"判断正确。"

"下面的事情就更引起怀疑了，当我们走出邮局，那位先生没有在原地等候，拿信的'跑腿人'不知如何是好，站在那里，手里拿着信无法决定。我躲在入口里侧，可以很清楚地观察着他，大约过了十分钟左右，我正在思考是否走到'跑腿人'那，找个借口看看那封信的地址，那位先生从雪茄店里走了出来，一定是对周围仔细地观察好了，他走到'跑腿人'跟前取走信付了小费，马上离开向火车站路方向走去。我小心地跟着他，他走到了马赛广场，跳上一辆在那里停靠的汽车，快速离开。"

"是出租汽车吗？"

"不是，是私家车，很遗憾，没有出租车。我叫了一辆出租马车跟了上去，尽可能快地跟着。虽然司机尽了最大努力，但是在罗巴卡帕纪念碑附近还是跟丢了这辆汽车。很可能是沿着利特拉莱路，去了滨海自由城。我去了那里询问当地警察，是否刚才有一辆汽车经过这里，他说有，另一位警察指向前面城市最高处。我去了那里，甚至到了鹰巢小镇埃兹，但那里没人能告诉我什么。我不想多问怕打草惊蛇，要是他恰好住在这呢。我回来后知道你住在这里，我就过来了。"

"你已经尽力了，克鲁斯；我对你很满意，现在，看看这个画像" — 莫腾从口袋里面拿出从伦敦带过来的詹姆森的图片 —"告诉我你追踪的那个人和这个画片是否相像。"

克鲁斯十分认真地看了这张画片，"当然像"，他说，"可以说非常像，只是我追的人显得更老一些"。

"我猜想是这样！尽可能详细地描述一下"。

"他大约180厘米高的个子，身体宽大，前额很突出，礼帽向后倾斜，不算太大的弯曲的鹰钩鼻子，圆脸，脸色红润，络腮胡子灰白混杂，英式的夹鼻眼镜，礼帽是圆形黑色，外衣的扣子是豌豆黄色，高领，红色领带，暗灰色的长裤，带着金头芦荻手杖。"

"你观察得非常仔细，这也是应该做到的。但是现在问你一个重要问题，你认为詹姆森是否注意到你在跟踪他？"

"他的迅速离开确实令人生疑，但很快我们就会了解清楚。既然他寄给了德累斯顿明信片他应该在这里等待艾迪特小姐的回复。今天他没有询问这件事，再次证明他是非常谨慎的。如果他确实发现了点什么，他一定不会再来询问回信了，要不然他就会有暴露的危险了。如果他没有生疑，明天他就会再来邮局询问是否有爱丽丝史密斯小姐的信件。这是非常有可能的，那更好，你明天继续在窗口前观察。"

"今天不用去了？"
"他今天一定不会再回来了。他会先等一下，只有在他认为是绝对安全的时候他才会重新登台表演。这也没有什么遗憾的，在我们得到逮捕令以前我们还不能把他怎么样，正好我们需要这些调查到的情况申请逮捕令。希望那个时候我们能确认他的住处。现在你没什么工作，去一下警局吧，跟他们说我请求发电报调查一下在戛纳 — 你记一下地址 — 芒通镇，奥斯佩达莱蒂，博尔迪盖拉，还有圣雷莫是否有人用爱丽丝史密斯小姐的名字登记。
如果有人登记，立刻电报告诉我，采用到达付费的方式拍发电报，我统一支付。你全部都明白了吗？"

"是的，特派员先生！"
"好，去完成任务吧。"
"克鲁斯离开后，他把申请令先写完，然后又点燃了他的烟斗，开始认真的思考。
这个案子接手的时间越长，就越觉得他的对手是非常狡猾和老练的。直到最后一刻，詹姆森都会很好的保护自己，如果克鲁斯的监视引起了他的怀疑，就更有可能这样。另一方面他又不可能避免不用爱丽丝史密斯的名字为伍德维尔小姐来登记顶替。只要他这样做了，他就得到了最为重要的被认可的证据来获取保险赔偿金。但是如果他在最后一刻登记也是可以的，因为他拥有继承史密斯财产的合法性。当然为了有足够的证据证明詹姆森的罪行，艾迪特小姐必须要证明他所说的这里死亡的并不是艾迪特小姐，而是伍德维尔小姐。为了这个目标，艾迪特小姐必须要与伍德维尔小姐相识交流，但是贝茨医生说，病人已经没有太长的生存时间了，因此必须要抓紧！

他并不怀疑，詹姆森一定会坐在蒙特卡洛赌场进行轮盘赌，纸牌赌等其他赌博。但是如果在那里跟踪他是一件有风险的事情，容易暴露。莫腾一定要在拿到逮捕令之前避免这种结果的出现，这还需要两至三天的时间。"

为了尽快地拿到逮捕令，莫腾在写给最高检察官的电报中还包括了下面这些内容："阿尔滕堡无名尸的罪犯就是来自芝加哥的弗朗哥詹姆森，现在来到了利维耶拉。请为我给尼斯警局紧急签发逮捕令。当然慎重是必要的。"

这封电报他亲自到电报局发出，回来的时候他看到艾迪特正在杜兰奇公寓大厅等候他。

他跟她说了克鲁斯跟踪未成功的情况和现在他在做的事情。

"正像我们预料的那样，像詹姆森这样狡猾的人是不会轻易暴露自己的。"然后他又进一步说明了一些事情，尤其是在伍德维尔小姐去世前一定要跟她接触沟通上。"鉴于詹姆森是一个天不怕地不怕的十分谨慎狡猾的美国人我甚至担心通过爱丽丝史密斯小姐的名字来登记的方法来追踪他们也可能失败，那么最后一个比较冒险的方法就是在赌场大厅接触他。"

"为什么你认为这是一个危险的方法？"

"因为只有你一个人能够准确地认出詹姆森，克鲁斯也可能认出，因为他已经很准确地观察到了他。但是如果詹姆森发现了被跟踪，克鲁斯被他发现，那就很危险了，我们必须避免这种危险。我仅仅看过他的画像并没有看见他本人，所以我不能保证我能成功地认出他，何况现在他一定是精心伪装自己的，所以是非常不可能认出他的。而且你被詹姆森认出的可能性要比克鲁斯大得多了。"

"我可以戴一个严实的面罩。"

"这可是不允许的，会引起赌场赌客的注意，这种场合必须是正装打扮。"

"那么可以在赌场入口的地方来确认他吗？"

"这也不容易而且危险，因为在进入赌场之前他会非常审慎地观察周边情况，只有这样他才能在进入赌场以后把精力主要放在赌博上。不过你让我想起了一个好主意，在赌场正门的左侧，也就是音乐厅和剧院的对面有一个发放特殊门票的票房。在这里可以通过它的格子窗观察到每一个进入赌场的人，而他们却不能发现里面观察的人。或许我们可以请求在这个地方观察。"

"这一定能成。"

"我们要努力一下，工作人员也许不会同意，我希望我能说服他们。对我们有利的还有就是通过登记查询，虽然我承认这个方法不是十分可靠，因为我们知道詹姆森会极为小心来做登记这件事。"

"但是你也说过他不能回避登记的，不冒险他就不能达成他的目的，就不能拿到保险赔偿金。"

"非常正确，但是，如果我处于这种情况下，我就是被追踪的罪犯，我一定会想到，登记是追捕者最重要的方法和线索。另外一方面，这又是必须的，我应该怎么办？我不会在治疗地点登记，而是在附近偏僻的农村社区登记。那里有许多这这样的社区提供别墅给接受治疗的患者。租这样的别墅费用不高，根据贝茨医生的说法，首先是提供短期租住者；其次，詹姆森有足够的资金来支付，当然这些钱或者是那个死去的女人，或者来自伯克小姐对他们未来丈夫的爱的表示。"

"就在史密斯离开特里普兹之前，也是詹姆森到来之前，她从她的旅行支票中取出了一大笔钱。我和她一起去的银行看见她收到厚厚的纸袋里装着100克朗一张的纸币。"

"应该是詹姆森事先都策划好了这一切。"

"可否向周边社区的负责人询问一下登记情况。"

"一方面这需要很多时间，另外也不是没有风险。这些村庄的负责人一般都不习惯保守这样的秘密，很快他们就会互相传播，詹姆森就会知道。但是如果从詹姆森在这里活动用的是私家车而不是出租车这一点来看，我更倾向于他会采取这个办法。在大一点的医疗中心都有火车站，乘坐火车他很快就能到达目的地。我们现在最重要的是要搞清楚他是偶尔用私家车一次，还是经常使用。"

"因为什么？"

"如果他经常使用私家车，就可以证明他现在住的地方距离这里不会太远，大约是在法国的利维耶拉地区，可以考虑是紧挨着意大利边界线地区。虽然对爱丽丝史密斯女士的调查会花很多时间但是也要比对整个利维耶拉地区的调查要简单许多。"

"那么你想怎样调查，要经常使用汽车吗？"

"如果之前说的用那个售票室窗口的办法可行的话，还是在蒙特卡洛赌场来调查，我马上去那里，尼斯到蒙特卡洛的火车非常多。"

"你愿意带着我一起去吗？"

"我非常想，如果你把面罩戴的严实一些而且不要进入赌场。以免不巧让詹姆森看见你；无论如何我们都要避免他看见你。"

"赌场我以前参观过，而且输掉了几千法郎，我并不渴望去玩一把。我也可以戴面罩；但是那样不会引起注意吗？"

"如果我们用汽车的话，那样不奇怪，在马赛广场，那种情况很多。克鲁斯也会和我们一起去，他应该从电报局回来很久了，应该在我的房间等我。"

"因为什么他也去呢？詹姆森不会认出他吗？"

"克鲁斯可以在摩洛哥和蒙特卡洛赌场之间的小城康达明区下车，最后一段路他可以步行，以后和我们在里昂信托银行和赌场之间的植物园见面。一般的赌客不会到那里散步，如果他们要呼吸新鲜空气，一般会从大屋顶直接走到海边，或者在旁边的花园。克鲁斯可以在法国大酒店或者附近的车场巡视，看能否发现詹姆森乘坐的汽车。"

"这是一个好主意，我去做好准备；一刻钟以后在这里见面。"

莫腾回到了自己的房间，克鲁斯正在这等他，递给他一封他不在期间收到的电报，电文是："爱丽丝史密斯没有在这里登记。"芒通镇的镇长及时地予以了回复。

"立刻去火车站路，克鲁斯"，莫腾说，"购买司机服装，雨衣，帽子还有司机专用眼镜。买好后在马赛广场的出租汽车旁等我。"

"服从命令，特派员先生！"

一刻钟以后，莫腾，艾迪特和克鲁斯会合一起从港口旁穿过，沿着利特拉勒路直到蒙特卡洛。克鲁斯领了任务在康达明下车，其余两个人直奔赌场。

莫腾出示了证件见到了值班主任，跟他介绍了自己的要求。

"非常遗憾我不能满足您需要的方式方法"，负责人回答。"这会引起赌场混乱，站在蒙特卡洛滨海度假酒店集团的角度我要尽力避免这样的事情发生。

"如果不用你们的帮助找到我要找的人并且在赌场强行抓人，这个要求是有点唐突了。"

"我们不能让您进入赌场；在这里我们有这个特权。"

"我希望不要阻挡警察来抓犯人特别是重要犯

人。摩纳哥大公国的警察也应该帮助我，如果你们警察局长拒绝提供帮助会产生非常不好的后果。"

"你有逮捕令吗？"

"当然有！"

"那么请出示给我看。"

"我不可能给你看，因为你可能提醒犯人，那样我的任务就失败了。"

由于值班主任的阻拦，很显然莫腾不能按照计划来进行下一步的行动了。

"我还是建议我们找到一个两全其美的办法，即考虑到你们的利益，也要考虑到我的利益。"莫腾对他说。"你满足我的要求，我保证不在摩纳哥境内逮捕罪犯，而在他出境后抓他。"

"这样可以接受，但是我必须把这件事情先向经理先生汇报，请等一下，我马上请他过来。"

"我在强调一次，只有在最极端的，也是极不太可能发生的情况下，即罪犯长时间逗留在这里不越过摩纳哥边界，我才能在其边境内抓捕他。但是即使发生这样的情况，我保证也只能是在夜间抓捕，绝不会引起混乱。"

"我明白了，稍等一下，我马上和经理先生一起回来。"

也能听懂法语的艾迪特一直在认真地听他们的对话，对警探长的绝佳表现向他表示祝贺。还没等他回话，这时门开了，值班主任回来了，后面是穿着优雅的一位先生，佩戴着拿破仑荣誉军团的绶带。值班主任介绍说，这是我们经理先生。

"尊敬的特派员先生，我同意您的建议"，经理带着一口浓重的法国南部口音说，"我对您的方法表示赞赏，因为您承诺不会引起骚动，这是我们最基本的条件，也是维护我们企业的利益。很遗憾我们不能避免该离开的人在这里出现；但是我们要好好感谢您给我们解决这个问题。"

"莫腾笑了，他在想，像詹姆森这样的人一定会充分利用赌场的特权的。他尽力控制自己不要把这个想法说出来。他说只有布朗小姐，艾迪特用的假名，可以完成指认罪犯的任务，因为她认识他。然后和赌场经理达成协议，明天上午10点45分，在赌场11点营业前一刻钟坐在那个售票室的格子窗的后面。

"为什么不就在今天晚间呢？"艾迪特问，他们离开了赌场，走进了植物园，等候克鲁斯。

"因为詹姆森，如果他现在在赌场，在赌场结束营业时间前他是不会离开的。你没有必要在那里等候那么长的时间。"

"您说的对。另一方面我希望明天在那里的观察一定非常有趣，再说，明天的时间也充裕了。哎，克鲁斯来了！"

"如果我没搞错的话"，克鲁斯汇报说，"詹姆森从尼斯开过来的车现在停在圣罗曼修理厂。"

"那个地方不大，在这里的东面方向，属于蒙特卡洛。"

"非常正确特派员先生！我同一位司机进行了交谈，他在那洗车，我顺手帮他洗，这样拉进了我们之间的关系。从他那里我了解到，那辆停在这里的车通常在1点到，在晚上大约11点前离开去蒙特卡洛接一位在赌场玩够了的先生，一般玩的时间都很长。然后汽车再开到什么地方就不清楚了。他还告诉我那个司机晚间通常坐在一个现代建筑风格的啤酒屋里。我想问您是否我可以让他带我一起去那里。"

"不行，不能那样。但是可以告诉我们的司机，也在11点的时候去蒙特卡洛，把车停在你确认是詹姆森先生的车后面。当詹姆森上车后，你就保持一定距离跟踪他，也不能太远。然后在一个地方或者十字路口停车返回尼斯向我报告。"

"服从命令，特派员先生！"

"但是首先我们去修理厂，指认给我看要跟踪的是哪一辆车。"

他们一起来到了圣罗曼修理厂。"为什么克鲁斯不跟踪到底呢？"艾迪特小姐问。

"因为那样我们可能引起詹姆森的怀疑"，莫腾回答，"对待那样狡猾的敌人必须用他自己的办法来对付他。明天晚间克鲁斯在今天晚上停车的地方，继续追踪他，也可以跟踪到底。这样的方法可能会慢一些，但是能够更好地达到我们的目的。"

他们来到修理厂，莫腾长时间地查看着克鲁斯指认给他看的那辆车。

"现在你还能记住那辆车吗？"当他们离开的时候艾迪特问。

"百分之百。"

"我的水平就是十分之一了也就是至少能从十辆车中认出它。我们现在做什么？"

"你现在可以先吃点东西"，莫腾转向克鲁斯，不用急于回答艾迪特的问题，"不要去那个现代建筑风格的啤酒屋，找一个小的普通的饭店就行。然后在修理厂附近巡视，时刻盯住为詹姆森先生服务的车，我们的车也随时准备好出发，跟着他们去赌场，后续行动就按照我的指示办。"

"服从命令，特派员先生。"

克鲁斯离开后，莫腾再次转向艾迪特，说，"对不起，我必须先向助理布置好任务；也可能出于某种原因，詹姆森会提前结束赌博提前回去，我必须提前应对。现在我提议陪我去一个我钟情的地方。"

"非常愿意，好像您对蒙特卡洛很熟悉啊。"

我多次因公出差来过这里，就像这次一样，多次游览过这个属于老勒布朗的被称为天堂之美的地方。变成合股公司之后，又扩大了植物种植。今天晚上我们先从屋顶平台欣赏，满月照在大海上波光粼粼，令人赞叹，但是我更喜欢带你去安静一点的地方。

他们从屋顶平台往下走，顺着一个急转直下的小道，走不远就来到了铁轨的路基斜坡下面，然后穿过一座天桥，几乎走到了大海的岸边，这一段布满了不太高的尖尖的一排排的礁石，非常美丽的景象展现在他们面前：海浪一排跟着一排涌向岸边，呈现出暗绿色，几乎是黑色，海浪上面的白色泡沫的形状像皇冠在月光下闪耀，猛烈地撞向礁石，皇冠破碎，雷声轰鸣。高于莫腾身高两倍甚至三倍的泡沫涌向天空，瞬间又像珍珠瀑布落下来，溅起成千上万的水滴，这样的景象不断的循环往复。

两个人肩并着肩静静地站在一起，观看这动人的场面，突然莫腾感觉到年轻美国女人丝滑般的手指，轻轻地抚摸着他的左手，继而仅仅地抓住，"我感谢您！"她轻轻地说。

"因为什么？"

"是您把我带到了这里。"

随后他们通过礁石继续向前，海水在礁石之间低洼处涌动，挤压，然后至少能向上涌出一英尺高，礁石也越来越高，他们艰难地在礁石间前行。莫腾警告艾迪特请她小心，并尽力去扶着她。但是她却嘲笑他，认为他胆小了，而她却在靠近海水的地方前行，灵巧地像个蜥蜴左右弯曲蜿蜒向前；他看着并观察着她像滑冰一样灵动，心里甚是喜欢。她甚至把她的带檐的圆帽也摘了下来，让新鲜的海风吹佛着发热的脸庞。她的长发似乎都摆动到了岩石的尖上，由于快速的移动，她的发卡也掉了：她的头发突然像金色的瀑布垂到了后背，穿过优美的细腰直到臀部。随后微笑着将身体转向莫腾，他正静静地站着不动，用完美艺术的眼光凝视着这美丽的画面，曼妙的身体，皎洁的月光，淡紫色的嘴唇，湿润而明亮的眼睛！

看到这一切，莫腾内心引起了极大的冲动，可是他还是极尽所能地克制着自己。然而，一步，两步，他伸开双臂把她紧紧地抱在怀里，炽热的狂喜，飞扬的情感，跳动的心脏，全部凝聚在双唇，深深的亲吻，直到几乎窒息 ——

"我不应该这样，我没有这个权利！"他下意识地带着沙哑的口音喃喃到。"你为什么不能？"她问。她立刻知道了答案，他也没有说出口。她带着一点惊讶看着他，眼睛一刻也不离开，看得他，这个世界上的骑士高手都有点迷惑了。他应该有这个权利，看着她似乎有一点嘲笑的眼神，尽管这种嘲笑是一种娇嗔，也同样激怒了他，既是对自己也是对她都有点生气。

"不要再往前走了，艾迪特小姐"，他最后说到，声音坚定而又微弱，但并没有掩饰掉颤抖。

"为什么不能？"她淘气般地回答。

"海浪的泡沫就要打着你了；很快就有巨浪涌过来，会把你全身打湿的！"

"如果只是这样的危险，我不在意！"她说着，又往前迈了两步。这时，突然的一股巨浪翻涌过来撞击在礁石上，溅起的巨大泡沫将艾迪特淹没起来。当她再次出现的时候，她感觉到一个有力的胳膊，托举着她，把她带到浪花拍打不到的地方，莫腾才把她放下来让她站住。

"对不起，尊贵的小姐"，这时他用平静的语调，似乎他们在讨论明天是下雨还是艳阳高照。"我再也不能让你那样任性和冒险了。"

"是不是全湿了？我可尝到是什么滋味了。"

"不只是这个！凶猛前涌的大浪几乎把你打翻，尖锐的礁石会划伤你的。"

"我几乎要摔倒了！"她笑着承认。"多亏了您的机智灵活，对不起，您把我照顾的好像我是个孩子！"

"你也确实是那样"，他想这样说，但话要出口又收了回来。

"现在我们要吃点东西了"，她幸福地说，"我们今天应该喝一瓶香槟，好吗？"

"这个愿望一定满足！"他回答，模仿着她的愉快的腔调。"尊小姐之命晚饭应该去哪里？"

"去《巴黎大酒店》！那里的氛围总是令人愉快！"

"那里人员太复杂！"

"这里没有人认识您，而且我可以在您的官方护卫之下。"

"是的，有我在，你不会有麻烦！"

"那当然不会"，她带着坚定的语气说，"我们美国女人要比德国女人享受着更大的自由，但我们绝不会滥用这种自由。"

"那非常好！只是我们首先要确定詹姆森已经离开了，否则我们不会冒险在《巴黎大酒店》被看见，他也不是不可能来这里！"

"但是我们不能真得等到11点以后吧！只有在这诗意般的环境下吃饭那才有味道，你说对吗？"

"可是我的胃已经习惯了，有的时候经常是很长时间才能够吃上一顿饭，没办法这是我这种工作造成的。但我不是野蛮人，不能也要求你和我一样，但是我们确实要在修理厂确认一下詹姆森的车是否在那里。如果在，我们就去康达明附近的不大的好一点的饭店，那里詹姆森一定不会去吃晚饭的。您同意吗？"

"无论在哪里，一定要有香槟！"

"一定！"

"我的上帝啊，我的头发！我真没想到会这样，头发乱得没法见人了！"

"为什么不能？这样的发型更漂亮迷人。但你是对的，头发做好了更是惊艳。这地方离赌城近，我陪你去附近的美容店，关门要到午夜，你做头发的时候我去一下修理厂，然后我回来我们一起去吃饭。"

"我同意！"—

在修理厂，那辆车还停在它经常停靠的地方。

"一定要在我告诉你的地方，克鲁斯！"莫腾走到正在观察的副手旁，对他耳语叮嘱。

"执行命令，特派员先生！"

当莫腾后来回到美容店的时候，艾迪特的头发还没有做完，他在那里又等了半个多小时。最后艾迪特出现的时候，为自己解释，美发师说应该首先把头发上的海水洗净吹干后才能做。然后跨上他的胳膊走进了"美岸酒店"。这里摩纳哥各阶层的人比较混杂，这给了艾迪特充分的机会展现自己，情绪也随之亢奋。这是他在其他场合所从来没见过的，他忍不住问她为什么情绪这么好。

"这个我晚些时候会告诉你"，她微笑着回答，这与她注视着的他的那双大大的深邃的眼睛里发出的严肃的目光形成了反差，这种神情一直保持了整晚。甘美的香槟极大地刺激着她的美好情绪，而严肃的莫腾也被她的活力所感染。两个人都很兴奋地互相调侃着邻座的两个男人，似乎是两个法国军官穿着便装，他们总是千方百计地要吸引艾迪特的注意，甚至当午夜过后他们离开饭店去往附近的车站时也跟着走了过来。

在包厢里面艾迪特给他看了一个小纸条，是那两个男人其中的一个偷偷地塞给她手里的，是邀请她第二天约会。

"真是一个轻浮之徒！"莫腾看到纸条后气愤地说。

她真心地笑了起来。"那你想要做什么呢？一位在深夜单独和一位先生吃东西喝香槟的女士可以等啊！"

"难道那两个人不知道您是我的妻子吗！"

"哦，特派员先生！我现在有必要提醒您，您是来公干的！"她嬉笑到，"您戴结婚戒指了吗？没有！一对夫妻在晚饭前把戒指拿掉放进口袋里，这在法律历史上没有这样的规定吧！"

他尴尬地笑了笑。没有，那个规定确实没有！"

"您好像很倾心于吃醋啊！"她继续着她的揶揄。

"在这种情况下，不能完全说是嫉妒吃醋吧。"

"为什么不能？"她突然变得严肃了起来。

"因为嫉妒要有一定的权利，很遗憾我现在没有。"

"很遗憾！您可真斯文！如果您真有那个权利，您会那样的妒忌吗？"

"这不是嫉妒的问题。艾迪特，自己心爱的妻子只能自己欣赏，不容别人僭越。"

"你可真会说话！您可以按照您的信条去做，我不想讨论，此外，既要有好的理念，更要有好的行动，不仅适用于女人，更要适用于男性。"

"我完全赞同。"

"我也会嫉妒的，如果我爱的人向另外的女人示好！"

"人们更能体谅女人而不是男人！"

"我谢谢您那么好的体谅。但是让我回味起来却并不那么甜美：女人是低级生物，人们应该原谅她们的软弱和无知！"

"我不是那个意思 —— 或者我的表达真不是这

样。”

"这还是真诚的！你只是这样想了，并没有那样说！但是令我感到欣慰的是，那些宣称我们女人是祸水的男人，又不得不承认这种祸水又是离不开的！"

"嗯，— 对这一点人们也是有争议的！"

"您敢宣称您在生活中没有和其他女人发生任何的联系？"

"我想，我是这样做的！"

"您认为，您是这样做的！外交辞令吧！诺，放心吧；稍微懂事一点的女人都不会关注自己丈夫在婚前的那些事情；更为有涵养的女人甚至会拒绝任何想知道这些事情的诱惑。"

"您就是那样有涵养的女人，对吗？您会拒绝吗？"

"我想，我会的！"

他笑了，他们已经来到了尼斯，他牵着她走出了火车车厢然后坐出租车回到了宾馆。到了大厅的时候，她迅速地说了再见，比平时快多了，然后用严肃的大眼睛不可理解地狠狠地看了他一眼，在平时那对眼睛每次对他都是含情脉脉的。同时他也感觉到那种美国式的一边说再见，一边有力的握手，在今天似乎更有力量了。难道这有什么特殊的用意吗？他一边这样问自己一边慢慢地从楼梯走向自己的房间，而她是坐电梯回房间的。想到这里仿佛瞬间一股热血涌向他的心脏，但几乎同时习惯性的冷静思虑又一次弥漫全身。也许她仅仅是想表达我带他游览美丽风光的一种感谢吧，一定的，一定是这样，不会有其他。

今天案情并没有发生什么新的令人兴奋的进展，然而他却没有像平时那样很快入睡。毫无睡意的眼睛前再一次浮现出艾迪特在礁石上长发飘飘的画面，他真搞不清楚她突然的改变态度意味着什么。到目前为止，除了极少的瞬间，她都在他的面前表现得十分克制，他认为其原因就是他们的社会地位和财产的差别所造成。这样的差异在一个真正的美国女人的眼睛里可是极为重要的。诺，他一个晚上都在认真地思索这个问题。思索的结果是，他和艾迪特的关系或者结合是没有结果的，他应该清醒地认识到这一点。

但是今天要放弃不去想她可比以前困难多了。这或许是因为今天艾迪特爽朗的笑声，可爱的性格，在以前从来没有表现的这么充分，甚至类似的都没有。当然，她在和他的交往中总是带着她那个阶层的方式和态度，甚至他感觉她并不认为他们是同一阶层的人。但是在她的言行举止中总是有一点冷静，平稳，甚至是坚定的。也可能是有意，也可能是无意，总之在一开始的时候，她就在他们之间设置了一个界限，而他无意去冲破它。而今天是她把这个界限给打破了，而且完全打破！今天她是第一次在她面前表现地完全无拘无束，奔放自由，回到了她本来就应该有的样子。

为什么呢？是调情的需要吗？还是因为，用我他是极为满意的，因为不用我的话，这个任务她是不能找到其他人来替代的？他还没有虚荣到用这样的想法来冒犯自己。不，这一切都是自然的，如果真像她自己说的那样，在她的一生中还从来没有这样全身心地投入到一项如此严肃的工作中，那么也是第一次发生这样的情感，她需要休息了，他几乎想说：她发现了沙漠中的绿洲。在伦敦的时候他对她的赞美她欣然接受了，但也不排除，她强迫自己停下来消遣放松一下自己。难道还有什么更合理的解释吗？

但是她的严肃的直直的注视他的表情始终使他

不解，如果不是艾迪特，而是一个中产的小姐，亦或他不是一个普通的公务人员，而是以前那个穿着闪亮军服的熠熠生辉的骑士，那么这种态度的转变倒是可以理解。但是现在的情形 — 哦，把精力都沉迷在思考她身上真是一件蠢事，他有更重要的事情要做，而不是浪费时间在做这样的美梦。长期养成的自律，习惯产生了作用，他必须从艾迪特迷人的画面转移出来，从思想到行动。他成功了，时间很短暂，或许是自然的需求，他平稳的，深深的呼吸显示，他已经进入了熟睡状态。—

艾迪特呢？

她也没有像平日那样很快就入睡。

礁石上的画面再一次地浮现在她的眼前，她为自己小孩般的行为感到幸福快乐连嘴角都抿了起来。她在审视自己快乐的原因，是不是有一种终于打破了莫腾在她面前对他自己的矜持，木讷，约束或者束缚的成就感，尽管似乎只是那么一会儿？至少是这样吧。艾迪特绝不是一个轻浮的女人，当然偶尔她也会接受某个异性的奉承，或许真的发生过，但那仅仅是暂时的，而且那只会发生在确认双方都不是在游戏而确实享受自由快乐的时光。

她期望着与她一直期望的邂逅不期而遇，她也为世俗的对富有女人的非议所苦恼，继而确信，所有对她的示好都不是因为她这个人本身，而是她所拥有的财富。每当想到这些她就很生气，觉得很不公平。她得出的结论是，一个人精神上的富有要比财富的富有更重要，但是在她所遇到的追求者中，她看到的都是对财富的投机。

女人的微妙感觉往往比理智的判断更为正确，她开始认识到莫腾不愿意说出这一点，而恰恰相反正是因为她的富有成为他们之间坚固的障碍，就像她平时习惯性地评判在她面前的那些追求者。

她并没有觉得莫腾的自我克制是对她的不敬，但心里只是生气。在火车上的长途旅行都是这样，她自觉不自觉地故意向那些军官示好，以刺激莫腾的嫉妒，但这一方法好像完全没有成功。她的雕虫小技对莫腾没有起到任何作用，抑或他是故意在克制自己的情感，不想让我在这次游戏中首先获胜？

嘴角上的笑容很快消失了，但很快又浮现出来，对，就是这样的！她从他身上看到了那种是她所需要的那种性格的力量，在他拥抱甚至从礁石上把她抱走的那一刻，她看到了他眼里所闪烁出的光芒，从中体会到更多的他所要给予她的她渴望的东西。是的，他是一个真正的男人！这种想法弥漫在她整个的睡梦里，他的形象挥之不去。

第八章 罪犯的汽车

第二天早上莫腾几乎刚刚快速地洗漱完毕，服务员就敲门说有一位先生要见他，莫腾说把他带到房间来，很快克鲁斯进来了。

"对不起，特派员先生，"克鲁斯开始说，"这么早就打扰您，但是我认为事情紧急，需要立刻向您汇报接受您的指示"

"好，克鲁斯，工作第一你是知道的，说吧，发生了什么事情？"

"昨天晚间赌场刚关门，詹姆森先生与其他几个人走了出来，来到他的汽车旁上车后，汽车就开走了。我的车在他的车后面中间夹有一辆车，这样就比较好隐蔽了。当詹姆森的车行驶到街道尽头时，我立即跟了过去并保持一定的距离。他上了去往芒通镇的公路，然后就从我的视线消失了，我尽力追上他，但是在寂静的黑夜汽车发动机的声音很刺耳，大概詹姆森沿着拉科尼奇大街方向去了。我不想穿过芒通镇去追他以免引起他的怀疑。我去了海边的那个酒店，买了一瓶葡萄酒，我在那喝了一杯酒以后，把车子留在那里，步行来到了边境　，仍然能听到詹姆森汽车的发动机声音，虽然声音很小。我环顾四周发现在我左手边有一条上坡路我本想往上走走以便看得更清楚，但我还是觉得应该先不被发现只是贴着地面用耳朵听。用这个办法我能清晰地听见汽车跑动和发动机的声音，但是这辆车似乎没有越来越远而是越来越近了。我又认真听了听，的确声音越来越清晰响亮。我在疑惑是我追的那辆车还是另外的车呢？首先要确认的是：这是空车返回呢，还是詹姆森仍然坐在车里？这对我很重要。"

"非常重要，克鲁斯"

"离公路不远处有一些断壁残垣，杂草丛生。似乎是一个烧毁坍塌的房子的废墟，此处可以看到非常多这样的场景，好像这里经常着火。"

"对，这些废墟都是由于着火这个原因造成的，虽然现在这里是法国管辖，但是在尼斯，甚至萨瓦省许多居民还保持着意大利的民俗。他们迷信地认为，如果生活过得不愉快，就放火把房子烧掉，异地重建。"

"哦，这个我还真没听说。我在荆棘中趴着，像个间谍一样地观察着公路。那辆车开了过来，就是我跟踪的那台，詹姆森仍然坐在里面。"

"哈，那很有趣！"

"车子开往芒通镇了。因为不能以太快的速度跟踪他，我选择了从我在的地方向山上爬，最后到了一个岩石墙，这是用一层层的岩石堆砌而成的，上面形成了一块平整的田地，种了一些桔子树。我很容易地爬上了岩石墙，从上面可以俯瞰芒通镇的大部分，只是街道内部看不清，因为遮掩在起伏的山峦中。在其中一条街道那台车在上坡；从那个方向我能清楚听到发动机的声音。我在想，应该怎么办？我是非常想跟踪这辆车，但我怎样才能知道它要开向哪里呢？街道是在整个镇子的高处，我目极之处看不到一个人；也似乎找不到一个人能够询问，是否看到有车经过。如果就算是在《伊甸园酒店》大堂如果我一个人在那长时间的等待，也会引起别人的怀疑的。午夜钟声敲响的时候，大长廊已经没有了任何人影，这样我就迅速来到了《伊甸园酒店》，喝了一杯葡萄酒，然后又叫上车子回到了拉科尼奇大街，我们经过了几段弯路，看不到也听不到芒通镇有任何异常。我让车子停了下来，给司机付了车费，让他回尼斯了。"

"也就是说你去过芒通镇，对吗？"

"没有，就是到了芒通镇的边上，芒通镇位于一个不大的盆地，我最后到的是芒通镇的公路的一个拐弯处，距离芒通镇已经很近了。我从这里离开公路，沿着一条不宽的小路，向上穿过一个橘园，来到一个能够俯瞰全镇的地方，当然是最高的地方。我要确认那辆车是否还返回来。"

"或许是你在旅馆的时候，那辆车已经返回了？"

"不可能，我一直坐在旅店的屋顶阳台，如果有车从芒通镇穿过，我应该能听到动静。"

"你在那个地方观察了多久？"

"我整夜都在那观察，虽然天气有点凉，但是我的司机大衣穿起来很暖和。我还带了烟袋和烟叶，抽烟使我不那么犯困。"

"那个车回来了吗？"

"没有！"

"也许是在你从旅馆到蒙特卡洛期间，这辆车从另外一个方向，就是去往意大利和法国的边界上的文蒂米利亚开回来的。"

"这仍然不太可能，如果那样在我沿着大长廊巡查时，一定会看到的，直到我让车子离开的那个地方，我都直直地站在那里认真地听了，同样在我往上走的时候也用耳朵听了，除了大海的涛声，没有任何其他的汽车声。那辆车一定停在什么地方了，特派员先生您一定要相信这个判断。"

"你很好地完成了你的任务，克鲁斯，我不会忘记在给总部报告时强调这一点。现在我们需要休息一下了，对吗？"

"哦，不，这没有必要，今天上午在回来的路上，为了不引起注意，我脱掉并卷起了原来买的司机外套，美美地睡了一个小时，而且只有我一个人在车厢里面。到达这里后我立刻就来见您了，现在我可以马上回到邮局开始我的观察工作。"

"好，那就这样，但是如果你很疲劳，就给当地警局请求让负责跟我们联系的都梅斯内尔警官来替换你。"

克鲁斯立即回到了他的岗位。莫腾吃了一点早餐然后给艾迪特写留言，告诉她在得到了克鲁斯的汇报后，他决定去芒通镇，确认不了什么时候回来。最好的办法是等他去蒙特卡洛去见她，在这之前不要离开公寓，因为虽然不太可能，但詹姆森会回到尼斯来取信件，在那里也不会有什么办法见到她了。写好后莫腾乘坐最近一班的火车去了芒通镇。

在芒通火车站，他先向上来到了城市的最高处，然后随意沿着一条路进入了镇内。在街道旁边矗立着的都是独栋别墅，很多别墅张贴着房间出租的告示。莫腾不断地从这些别墅旁边经过只是在快要离开镇内的时候，他才进入了一个别墅，询问租住房间的事情。

"我马上就去找女主人过来，您先请坐"，一位女仆人打开客厅的门，对他说。

女主人很快就出现了，她大约四十岁左右，身材姣好，皮肤棕色，长发飘在上嘴唇，典型的意大利女人。她快速而大声地介绍和赞美着自己的别墅和花园。价格五十法郎一周的是带大阳台的，或者三十五法郎的，房间就比较小，条件也就一般了，她补充到。

对于价格来讲莫腾有自己的想法，但是他的目的是来调查的。他只是表达了疑虑，医生如果从芒通镇是否能足够快的赶过来。

"哦，先生，这个您放心，我们这个地方有两位医生，一位是布利沙尔医生，另一位是詹卡戴医生"

"这两位医生住的离这儿远吗？"

"布利沙尔医生住得非常近，就在这条街道的拐角处的第一个房子，詹卡戴医生也住在这条街，大约往上走十分钟，房子前面有一个加里波第的半身塑像，是一位非常有经验的医生；关于这一点你可以完全放心。詹卡戴医生还是社区指定医生，两位医生都可以提供24小时服务！"

"我想周边在看看；我需要租用两个房间，大的给我有肺病的堂妹，小的我住。"

"先生，你不会再找到比我这更好的房间了，你一定要相信这一点。现在来看房的人很多，说不定先生转一圈再会来，房子就被租出去了。"

"嗯，会那么快，不可能吧"，莫腾笑着说。他推测，如果詹姆森把伍德维尔小姐安排在这个地方，他一定会向社区医生报备的，因为需要医生的照料和开死亡证明，看来应该已经接近他了。

詹卡戴医生似乎病人不多，当莫腾进入候诊室的时候，只有一位农妇坐在那里，看上去病快快的，轻轻地哄逗着她怀里的孩子。她的诊治很快就结束了，詹卡戴医生请莫腾进入诊室。

"您哪里不舒服先生？"

"我不是病人，医生先生，但是我的堂妹精神不太好，我们芝加哥的医生推荐她来利维耶拉好好疗养一段时间。"

"哦，精神病人来我们这里是最好了，您已经租好了住的地方吗？"

"还没有呢，我不知道芒通镇什么地方对我们比较合适，比较理想，好像这里对肺部病人比较好吧。"

"芒通镇对肺部病人，精神病人都是理想的疗养之地。肺部病人住在海边比较好一些，因为空气中没有灰尘，但是对精神病人住在高一点的地方比较好。"

"那么肺部病人一般都不能来这高一点的地方吗？"

"也会多少有一些，我现在就有几位这样的病人。"

"但是不太多，对吗？"

"只有三位：一位俄罗斯人，一位荷兰人和一位美国女士。"

"啊，还有一位老乡啊！我的堂妹真的还是和她有点类似呢。"

"还真可能是这样，特别是对史密斯小姐，在她生命的晚期还会遇到同乡；她大概只能在坚持几天了，如果运气好，最多也就是几周的时间吧。"

"哦，可怜的小姐！真希望我能帮助她点什么，她住的离这里远吗？"

在卡伦布别墅，她的已故父亲的朋友给她租了一个顶层，这个人也住在那里，但是经常不在家。她通常都很虚弱了，很少和看护她的护士说话，护士是伯克先生给她雇佣的。"

"她父亲的朋友名叫伯克吗？"

"是的，约翰伯克，但是如果你的堂妹是一位精神病人，和这样垂危的病人发生交集确实是不太好的，并且会受到惊吓刺激。我不建议同史密斯小姐相见。"

"可以理解，真没想到是这种情况。现在我的堂妹仍然还在日内瓦，我还是建议她尽快来这里，然后我请您为她治疗。"

"那我非常愿意，那这位小姐什么时候能到这里？"

"应该是在后天吧，那时我会立刻和她一起过来，再见医生先生！"

莫腾带着满意的微笑，走下楼梯，他终于成功地找到了这个狡猾的罪犯的藏身之地！他拿出怀表，时针指向了10点。詹姆森应该不会在家，那么他应该立刻去卡伦布别墅一探究竟。

这个别墅还真不太远，就在街道的边上，被一个花园环绕，左侧是从橄榄树园开始，花园的右侧是一个私人住宅，并没有粘贴出租房间的广告。

莫腾从橄榄树园进入寻找，这个卡布伦别墅在大花园的尽头。别墅的后面是另外一座花园，由不高的编织栅栏又隔开了另外一个花园供出租的房间所使用。

莫腾在思考是否应该进去，在那里租房间，即使如果詹姆森知道又有人来租房子了，也不会产生什么怀疑吧。莫腾不会把自己扮演成美国人。

他上前按了门铃，过了很长一会儿门开了，出来一位老人非常殷勤地给他介绍了房间。莫腾也问了一下租客是否可以使用花园，他礼貌地说当然可以。但是他也说别墅的主人是他的女儿，是一位上尉的寡妇，去尼斯买东西了，大约后天才能回来。

莫腾谢谢他提供的信息，并且承诺后天来与房主见面做进一步的详情了解。随后他立刻去了火车站去往蒙特卡洛。

第九章 在赌城

艾迪特已经在赌场，坐在格子窗后面开始她的工作了。莫腾在附近停留了一会，这时前大厅里面并没有多少外国人。他走过去问艾迪特，目标人物是否已经来了。

回答是否定的。

"嗯，我半个小时后回来。"

他利用这半个小时再一次冷静地思考下一步的行动，当一切都确认后他又回到赌场。他猜测詹姆森仍然不会到，因为在圣罗曼巡视了几遍，非常认真地注意查找昨晚詹姆森用的汽车，并没有看到。经过的几辆车里面坐的人大概都是为了沿着拉科尼奇大街散步，欣赏大街美景的。从尼斯过来，这条街道向东通向利维耶拉，向上到达沿海的海岸高山牧场。穿过牧场，左手边是让人看一眼就有些害怕的深深的沟壑，其底部水流翻涌泡沫腾飞，斜坡上的橄榄树的银灰色和橘树的深绿色交相辉映；右手边人们可以看到轰鸣的，阳光闪耀的大海，岸边有圣让半岛和圣马丁半岛，向南延伸会一直连接到遥远的非洲海岸。海岸上田园牧歌似的棕榈园，各种风姿绰约的疗养院，配有各式阳台廊柱装饰的别墅，像极了散落在岸边的珍珠。

在莫腾就要穿过大门的时候，艾迪特低声对他喊道："他来了！"

莫腾走到格子窗，"他穿着什么衣服？"他同样低声问。

"长的黑色风衣，和这里大部分人穿着差不多，纽扣上别着一朵白菊花，其他的和克鲁斯描绘的一样。因为你只是看到过他的画片，恐怕不容易辨认出来。"

"哦，我们一起努力"，他说着进入了赌场大厅。

整个赌场气氛依然火爆，不下八卓的轮盘赌不仅前排坐满了玩家，紧挨着后面也站了一排投注的人。莫腾一桌一桌的走过，起初并没有发现目标，最后他终于在第二个大厅看见了他。詹姆森站在负责发牌和杀赔的荷官旁，荷官俨然一位首领的派头，一面转动着轮盘一面巡视着整个轮盘掌控着局面。詹姆森聚精会神地记算着点数，在每一局结束时，荷官收付完输赢的钱币后，他会认真地在一个不大的印制本上做好记录，由服务生发给需要的玩家。然后，在荷官说完"请各位先生下注！"之后，他会在轮盘格子中自己喜欢的几个号码上投注几枚金币或者纸币。很显然他每次投注都是根据一套自己精准的计算玩法，这似乎很奏效，因为在莫腾观察的整个半小时中，他左手边放置的金币比他左右另外两个赌客的多出不少。莫腾把詹姆森的形象清楚地雕刻般地记在心中，他十分确认在他训练有素的眼睛面前詹姆森无论用什么样的化妆，他都能辨认出来。赌场的管理规则是只看不赌的客人是不能占用玩家的位置的，为了自己更像一个赌客莫腾也必须要下注。他把一个五法郎的硬币放在了'红'的格子上，没赢，然后又放在'黑'格子里，同样的运气不好。这时他在'十二取一'的轮盘上下注，是在1到12的号码上选择一个数字，这一次他赢了，数字7出现了。荷官把10法郎放在了他面前，接着他把一共15法郎全部押上；数字11出现了，他又赢了30法郎，加上投入的15法郎一共45法郎了。

接着又全部押上，数字4出现了，又中了，这次是90法郎了。接着他又收入了一笔，除了投入的20金币，得到的是40法郎，如果他全部投入的话，得到的就是270法郎了。他不禁有点懊恼了，他从来没有过这种感觉，他突然意识到，他的这种感觉是危险的，因为他已经对这种诱人的游戏产生了兴趣，尽管时间很短，他似乎忘记了他此行的目的。他立刻拿走自己的60法郎离开了。出来他给艾迪特小姐打了个手势，她马上跟了过去，在大门口她追上了他，他们一起向火车站走去。

"你不用再待在那个无聊的笼子里了"，他开始对她说，"目的已经达到，我现在已经认出詹姆森先生了。"

"啊，我一点也不无聊啊！首先非常有意思地看那些女士先生们来到大门口，依次进入赌场，走向自己喜欢的赌台。其次，你不会想到，那些所谓文质彬彬的法国人，就是在窗子后面的保安稽查员，爱慕且异样地看着我！"

"但是那些都是已婚男子！不然也不会雇佣他们！董事会的想法是，这样的雇员要比未婚男子更忠实可靠！"

"你真认为结婚戒指能够束缚住法国人？恰恰相反，而是那些中年美丽的女士才显示出文雅和端庄，使得法兰西民族脱颖而出。"

"我不那样认为，我的意思是我们现在有更重要的任务，而不是与一家企业服务人员的调情，企业的放纵是欧洲不光彩的污点！"

她得意地笑着，"哈，真道德啊！"她嘲讽到，"你从来也没有游戏过，对吗？"

他咬着自己的嘴唇，他下意识地把手放在背心口袋上，里面放着他刚刚赢来的钱。"我们现在不说这个！"他然后继续说，"我应该让你知道更重要的消息。"

他向她通报了克鲁斯和他成功完成的事情，她感觉到了愉快，这种愉快使她的眼睛明亮了起来，驱散了心头的不快。"现在我们做什么？"

听完了他的述说后她问，"我现在应该开始和伍德维尔小姐接触了，对吗？"

"对，这样我们要去芒通镇，大约要几个小时，也不用担心与詹姆斯相遇，因为好像他不会很快就离开赌场，他是坐汽车来的吗？"

"好像不是，那样我会听见声音的。"

"他不应该注意到克鲁斯的追踪，克鲁斯很机警的。"

"那么他为什么今天没有像平时那样坐车呢？"

"应该是他把汽车停在另外的地方，然后步行来到赌场；也可能在尼斯他收到了他的信件，为了快速来到这里，他坐火车来的，如果是这种情况的话，我们应该能得到克鲁斯的通知；第三种可能，他只是谨慎小心，为了避免追踪，他更换了交通工具。根据我们对他了解，我认为，第三种可能性最大。"

谈话到第三种可能的时候，他们已经走到了露天月台，等候从尼斯来的火车。艾迪特小心地戴着面罩遮着脸，火车进站后他们进入了车厢。由于包厢里面的人很多，他们直到在芒通镇下车后才开始继续谈话。

"无论怎样，我们在这首先应该吃早饭吧？"艾迪特建议。

"你说过，别墅的主人会在午饭后回来；这样如果我们现在过去，很可能看不到她。"

"我完全同意。这样我们最后去《伊甸园酒店》吧，因为如果詹姆森从蒙特卡洛去卡布伦别墅，他会提前离开大长廊，坐汽车回来，然后再去蒙特卡洛，这一点我不太相信。他昨天是这样做的，但是他听到了他后面汽车的声音，尤其是在深夜这显得不太正常。如果我们不能在短时间内迅速有效地停止跟踪，那么就很容易引起他高度地怀疑，天知道当我们找到他的老巢的时候，到手的鸟儿是不是就会飞走了。"

"那么他能去哪里呢？"

"去其他的疗养地或者就在那附近。芒通镇对他来讲应该是最好的地方了。"

"因为什么？"

"因为从这里到意大利边界步行半小时就可到达。"

"那我们可以在意大利那一侧逮捕他吗？"

"当然可以，但是关于这一点我们必须首先争得意大利警方同意，这样就比较麻烦，他一定会很好的利用这一机会。"

说着他们就来到了《伊甸园酒店》，在这里他们吃了丰盛的早餐并且喝了一瓶红酒。然后他们向上走到了圣阿加特大街，要找的别墅就在这里。这次女房东在家，起初她并不同意租房时间短于一个月，艾迪特给莫腾打手势表示同意，但是他却以坚定的口吻说，如果不同意就租别的人家。因为听说一般情况下房子都有一些毛病，这在短时间内是发现不了的，他的原则就是只有在他确信所租的房子确实令他满意，他才签订长期的合同。

德拉科女房东做出了让步同意了莫腾的要求。确认好房间，莫腾和艾迪特来到花园，散步聊天。

"您不想租这个房间一个月？"她问他，他们一起走过漂亮的柏油路一直来到后面的大花园。

"首先，我的老板要求我要极为节俭 —"

"哦，这么小的数额，对谁都是无所谓的吧！"

"正如您将看到的那样，这是不必要的支出，因为我们只是需要这个房间几天。第二，如果女房东在我们居住期间对我们服务得好的话，我们或许考虑签订一个月的租住合同。"

"完全正确，我根本没考虑这点。哎，你看，树丛中有个什么白色的东西在闪光！"

"小心！安静！"他暗暗对她说。他们偷偷接近隔开园子的篱笆，紧紧挨在一起，站在老梧桐树粗壮的树干后面，向另一个花园内望去。

在两棵栗树之间的吊床上一位穿着浅蓝色连衣裙的年轻女士正在休息。她的浓密的金发熨烫的很有艺术性，脸色却是苍白的，两侧红色的脸颊上有两个清晰的暗红色的斑点，蓝色的眼睛散发着病态而奇怪的光泽，瘦弱的身体几乎达到皮包骨的程度，时不时的令人心烦的咳嗽使其不断的摇晃。当这种情况发生的时候，坐在吊床旁边的正在读书的女护士会起身用手抚摸她的头和脖颈以减轻她的痛苦，擦去她前额和脸庞上的汗水。在她平静下来的时候，护士又坐了回去。

"她可真像爱丽丝史密斯啊！"艾迪特对莫腾耳语道。"她生病的时候就是这个样子。"

他安静地点点头。

"她身上的披巾就是爱丽丝的，我可以确认，她经常使用这条披巾。"

"詹姆斯事先担心有认识被害人的人看到伍德维尔小姐，虽然不太可能，但又并非完全不可能。也许他更仔细考虑过，要是在病人死了以后把史密斯小姐的衣服从这里寄回去的话，这个女病人跟史密斯小姐是否同一个人的问题将更加不会引起怀疑。但现在必须支开这个护士，她是詹姆斯出钱请的，很明显，詹姆斯委托她好好照看，不要让任何人接近病人，他能够轻易给出理由：说病人必须好好照看静养，不能受任何刺激！"

"你想怎么做？"

"我想，我会成功。你就待在这里，直到你看到护士离开的时候，就立刻利用这个机会过去开始与伍德维尔小姐说话。在这以前你一定要在这里隐藏好自己。"

他不声不响地快速回到了房子里，进屋后他请女房东德拉科夫人去跟卡布伦别墅花园里的女护士说，有位先生要跟她说几句话，想雇请她照料一位病人。"我就在卡布伦别墅的门口等她"，他补充道，"你一定和邻居们的关系都很好，对吗？"

"那当然了"，她说着准备去完成他的请求。

"但是你可以在花园里隔着柳条栅栏和她说话，她在照看她的病人，— 可怜的女人似乎就这几天的事情了！

— 她总是在花园的后面，那里空气中的灰尘会少一些。"

"我的堂妹就在那附近，她总是神经兮兮的。有她在场的话我就不能把她的状态准确地向护士描述清楚，而这又是十分必要的，护士清楚了就会知道怎样照料我的堂妹。"

"关于这一点您的想法是正确的，跟我来吧，我马上把护士给你叫过来。"

他们一起来到卡伦布别墅，莫腾在房子门口那里等候。几分钟后德拉科夫人带着女护士过来，让她和房客单独谈，她离开了。

"我能为您做什么，先生？"

"您有时间吗？我想跟您谈谈请您护理的事情。"

"我现在正忙着呢，先生。我全力照看的病人的生命也就这几天了；她是肺癌晚期。您那位要看护的病人是什么情况？"

"是精神方面的疾病，是一位善良的小姐，现在在这里讲不方便。"

"对不起，我不能邀请您进屋里，伯克先生极为认真地要求我除医生和房东家的服务和清扫人员外不允许任何其他人员进入房间。"

"奇怪！为什么这样？"

"他担心生病的女人见到在利维耶拉的以前的熟人会受到刺激，会加重病情而过早离世。"

"他说这件事是最近说的，还是很久以前说的？我的意思是如果病人像您说的那样已经病入膏肓，那么见到老熟人至少不会对她有伤害吧？"

"那当然，但是他却是不同的意见，我当然要必须服从于他。在我接手他让我照顾女病人的时候就给我下了这道禁令。"

"我们至少再走几步到橄榄树林那边，那一定不会有问题的。"

她同意了他的请求。

"那个女病人是他的女儿吗？"他接着继续问她。

"不，似乎他们没有血缘关系，有一次她告诉我，他是她已故父亲的朋友，由于可怜她把她带到到这里并且支付费用，因为她经济很困难。"

"这可是太有爱心了，看来他是一个极为善良的人。"

"那当然！他又是一个非常敏感的人，以至于他都不敢看见她，因为他说一看到她受苦难受的样子，他的心都要碎了。由于这样他几乎只是在这里睡觉，早晨起床后吃完早餐就出去了，晚间很晚才回来。我现在应该去照看病人了，先生，我不能离开很长时间。伯克先生有时候会突然回来待一会，以了解史密斯小姐的状况。如果他回来看到只有她一个人在，他会发火的。"

"那么我们快点说，几天后您能来找我，对我的有精神疾病的堂妹看护吗？您有过看护精神病人的经历吧？"

"那当然，先生，多次看护过。我在利维耶拉这一地区工作六年了，这里来疗养的病人只有肺病和精神病的病人。"

"我同意每天给你付10法郎，公寓免费，这样足够了吧？"

"足够了，先生，当这里的工作结束的时候，我去哪里找您呢？"

"我住在德拉科夫人的别墅那里，就是我派她来找你跟我说话的。"

"哦，德拉科夫人我认识；这个别墅就属于她的，她的花园紧挨着卡布伦别墅的花园，她是一个非常善良的人。"

"你认为，人们都跟她相处得很好吗？"

"那是，她做什么事情都会让您满意，但是，对不起先生，我现在真的需要回到我的病人身边了。"

"我再说一件事！我今天就租下了德拉科夫人的两个房间，明天会把行李带过来。你能在明天下午两点过来几分钟我让你认识一下我的堂妹吗？"

"可以的，先生，希望那个时间伯克先生不会回来。"

"如果他在，他离开的时候你能马上过来吗？"

"可以先生，再见！"

她迅速地穿过橄榄树林，莫腾则到达了橄榄树林的另一侧。为了避免她发现艾迪特和她的病人交谈，莫腾跳过围护花园的栅栏，迅速地走到花园的后部。他看见艾迪特正在栅栏边上大声地和女病人聊天。听见了他的呼叫，她停止了谈话跟着他来到了花园的另一头。转过身，莫腾看见女护士又回到了吊床旁边。

"确实是艾伦伍德维尔！"艾迪特向他报告。

"我完全相信这一点，但你是怎么确认的？"

"我一直等到女护士离开的时候，我喊了一句：'艾伦！'这位女病人立刻转向我，'谁在喊我？'"她问。

"是我，伍德维尔小姐！"

"您认识我吗？？"

"是的，您来自伦敦，以前您在那当老师。"

'哦，我请求千万不要让伯克先生知道您认识我。他曾跟我说过，如果有人知道我是谁，我就必须回到伦敦。他的哥哥据说是个富翁，生活富足，是他资助我旅行和这里的生活费用，但是这个哥哥是一个有点奇怪的人，他做这件事是因为他爱着一个叫史密斯的死于肺病的女人。他经常在这里用他自己的钱资助生病的女人，但要求这个人必须扮成爱丽丝史密斯女人一样，而且要穿上这个死去女人的衣服。他幻想着他曾经爱过的女人依旧活在这里。'"

"啊，詹姆森还真是虚幻了这个美丽的童话！"莫腾喊了出来。

"真是一个天才的骗子！"

"是的！我安慰她并且对她说，我不会出卖她。但她真的害怕伯克先生会把她送回伦敦。她说这里的空气温柔湿润，非常舒服，自己一定会好起来，听到这里真让我动容，我答应她如果真发生那样的情况，她仍可以待在这个地方，我来资助费用。啊，她听了高兴级了！"

莫腾拿起艾迪特的手温柔地亲吻了一下，她的脸也红润了，"这是对这样可怜的人甚至动物都应该做的一种责任。"她坦然地说到，"但是我还是想明天再去看望这个可怜的女人，好好安慰她，可以这样安排吗？"

"在詹姆森被捕后你可以这样做的，但是在那以前危险还是很大的。我写给检察官办公室的信应该有回音了，明天上午似乎逮捕令就可以到手。如果是用电报传过来，明天下午就可以到达尼斯。但是如果按照我电报里的要求，即转交，那么现在已经到达尼斯警局了；所以你应该有耐心，不会时间太长，不能给伍德维斯小姐带来任何危险。"

"谁知道她能不能活那么长时间！如果真能发生那样极端糟糕的情况，我应该带着一把左轮手枪！"

"我不能也没有权利让你置身于这样的危险之中！想一想：如果詹姆森突然在你与伍德威尔小姐的交谈中认出了你，他会立刻认识到，到手的一切都要丢失，他会不顾一切，甚至不惜进行第二次谋杀，而且只有这样他才能确保他第一次犯罪的成果！不，麦肯农小姐，你确实是从内心发出的人性的善良，但危险太大了！不能也不应该这样！"

"她沉默了，他看到她的嘴角笑了，他弄不清楚这是什么意思，难道她认为我的关心有点过分了吗？还是她感动了呢？"

他试图转移她的思考说到"现在我们收集到了足够的给他定罪的证据。整个链条中最后一个就是那件灰黄色的衣服，我在铁路斜坡上发现的，放在我的物证口袋里的一小块碎布片就是从那件衣服上被扯掉下来的。衣服上的破损一定会修补上了；我们抓到詹姆森后会确认的。现在急需的就是逮捕令了！"

"现在罪犯逃脱不掉对他的惩罚了，对吗？"

"也不一定，最后一刻发生变故也不是没有的！首先我们要小心，我们做的一切都不能让他起疑心，真心希望伍德维尔小姐能不暴露跟你说话的事情。"

"保持沉默是最符合她自己切身利益的！"

"也不一定，在你答应她以后，一旦发生与詹姆森的争执，她可能就说出来了。！"

"这么说这个承诺是错误的，对吗？"

"我不能否认这一点，希望不会产生什么后果，我事先提示一下你就好了！"

"你完全不会意料到我同伍德维尔小姐谈话会有这样的结果，你不用对这件事自责，真没必要！"

"希望一切都好，无论怎样我们还是要认真地观察对面别墅，今天似乎没什么必要了；夜晚就要来到，女病人很快就会上床了。在这之前观察一下就足够了，今天晚间或者夜里詹姆森一定不会再去她那里。这样我们可以安下心来回到尼斯，让我的副手从他的位置上撤回来。既然现在我们已经知道了詹姆森的住处，在邮局的观察就没什么必要了；如果引起詹姆森的怀疑那就麻烦了。最好是派我的助手去维也纳！"

"他去那里的任务是什么？是去寻找那个假的詹姆森先生吗？"

"完全正确，我猜想某个伯克先生，就是那个阿德隆伯克的亲属正在维也纳扮演詹姆森的角色。"

"因为在这里詹姆森宣称自己是伯克先生，对他这个十分谨慎的人，一定要使自己的名字合法，这就是来自伯克先生，这样就可以理解了，而且他也要把自己的合法身份给在维也纳自称是詹姆森先生的伯克先生，两人的身份要一致。这个应该不算是什么大事，未来的亲戚不会感到意外和过分，前提是伯克没有被告知整个事件的全部，那他也不算是共犯，詹姆森一定会很委婉和可信的方式向伯克提出的这个要求。"

他们回到尼斯后，首先去了邮局，克鲁斯仍然在那里坚守。莫腾向他做了一些必要的指示并且命令他去维也纳，途径热那亚和米兰，要确认找到自称是詹姆森的人。

在警局那里，针对詹姆森的逮捕令仍然没有到达。莫腾请警局的那位联络人都梅斯尼尔第二天早晨如果逮捕令到了的话通知他并且给他送过去。当晚没有做什么特别的事情。

虽然已经很晚了，艾迪特仍然表达了要去蒙特卡洛感受一下小赌怡情的快乐，她建议莫腾先去赌场大厅看一下詹姆森是否在那里，如果在，她当然就不能去了。

"如果他刚开始的时候不在，而中途突然进去了而且在赌场里面见到了你，怎么办？"

"如果他现在不在那里，至少他就不会再一次去那里了。"

"我们不能确认这一点，不，尊贵的小姐，我们要做的事情太重要了，对不起我不能满足你的任性。"

"您说这种任性不算是正常的性情吗？这地方我已经反复来过几次，但是在大厅只是玩过一次，我没见识过这个圈子，一定会很有趣！"

"这当然有趣，正是因为有趣，几乎每一个来到赌场的人都或多或少毫不隐讳地流露出受这种刺激的影响：赌博。你可以相信，我从心里不希望你对它产生兴趣，但是当我们确信我们终于努力成功的时候，就没有必要取消这一切了。你应该明白这一点麦克肯农小姐！让我们在坚持几天，到时候你绝对可以自由做你所喜欢的一切。"

"我现在不可以那样吗？"

"不行！现在你必须全身心地关注我的观点。"

"你说的可真温柔，'服从我的命令'，或许您是对的！"

"我们不要进行文字争吵，我非常理解，考虑一下反对意见对你是不容易的。直到现在你都是很独立的，都是在跟着感觉走，没有人有权反对过你。但是在目前的情况下，我还是坚持我的观点，经过冷静理智的思考，你就不会反对我了。"

"你的意思我现在不理智了？"

"简而言之你是在使女人的小性子，在你的心里，你知道你的想法是不妥当的，这和你一贯的真挚的性格是不一致的。你坚持的是贵族范，并坚定地维护这一点。为了你自己我请求你注意这一点！"

"好一个道德教师啊！但你能否认你对我的这种强势吗，似乎我是在反对丈夫的意见？对这一点我坚持我有按自己意愿做事的自由！"

"如果你坚持这样，你只能嫁给一个应声虫而不是一个真正被称为男人的男人。但是如果嫁给这样一个懦夫你是不会有幸福的，麦克肯农小姐！你很快就会蔑视他的！"

"如果我给予我的丈夫我所要求的同样的自由呢？"

"你认为这样是婚姻吗？上天不会允许你以这样的基础结合而度过一生！"

"你不会这样吗，即使你遇到了心爱的女人？"

"不会，那样就意味着从一开始双方就不会是幸福的。女人，我所深爱的女人也不会向我提出这样的要求！"

艾迪特脸色苍白，她看出来他说话的严肃来自于他坚定的信念。

"你对婚姻的基础缺乏正确的理解！"他用非常温和的语调继续说，"也许你还没有真正地了解什么是真正的婚姻，在美国贵族圈子里的大部分婚姻，或者说在美国的富人圈子里，我不认为那是真正的婚姻。"

"您想说那些婚姻都是金钱婚姻，在他们中间没有真正的爱情？您错了，先生！"

"我没有那样说，但是妻子在那样的婚姻中是什么呢？一个木偶，一个丈夫把她安放在一个基座上的娃娃，完全没有自己独立思想的摆设。在这种情况下情感的相互交流在哪里？如果没有这种交流，相互的亲密关系又怎么可能？我的目的并不是要求妻子要像奴隶一样服从丈夫。当然她可以有自己的观点，看法，并且表达坚持自己的观点，同自己的丈夫探讨甚至辩论，但绝不能认为自己事事正确。如果她确信自己的丈夫的决定是理性的，正确的，就应该服从，正像其丈夫在相反的情况下也能这样做一样。妻子不应该孩子般的固执，也不能把遵从视为软弱。可是很遗憾，这样的事情却经常发生，她所认为的弱点往往是它的反面！只有在双方平等的基础之上，这样的婚姻才能绽放出真正的幸福，而不是在双方互相绝对自由的基础上，因为那样永远也不会带来幸福，这违法了婚姻真正的本质。"

他停下来认真地看着艾迪特，而她正在冥思中。过了一会儿，他笑了，不是笑她，而是在笑自己。

"现在你可能又要说我是'学究'了"，他说，"我给你上了关于婚姻本质的课程，而没有考虑到你是在完全不同的环境下长大的，对于我的观点很难有全面的理解。我是一个地地道道的德国人，无论如何从里到外无法改变！"

"那也确实没有必要改变！"她的眼睛严肃地看着他，然后突然说到"晚安！"，握了一下他的手，然后回到了自己的房间。

"真是一个奇怪的精灵！"脱口而出地说出了这一句后，莫腾也回到了自己的房间，而且长时间的在房间内来回地走着。作为一个抓捕罪犯的侦探，当然对心理学有很深的研究，然而，在某些特定的情况下却不能对女人的言行做出符合逻辑的判断，这是因为什么呢？

第十章 罪人与情人

第二天早晨当莫腾走进餐厅的时候，艾迪特穿着休闲装正在等候他，他对她这么早表示惊讶。

"你说过今天上午我们必须检查一下卡伦布别墅"，她回应说，"逮捕令到了吗？"

"很遗憾，还没到。都梅斯尼尔刚才来了，但是没带来逮捕令，半小时后还会再来。我想我们还是把他也带上吧。"

"为什么？"

"克鲁斯正在去往维也纳的路上；如果把都梅斯尼尔留在这里，要观察或者要做类似的事情，我就干不了其他的事情了。我的确不能确认这种必要会带来什么，但是我们必须要有足够的认真和小心。'巧合，都是由于粗心引起的！'这句谚语在刑侦行业中极为适用。"

"好吧，我们就带上他，对我来说，唯一重要的是 —"她突然不说了。

"嗯，什么是最重要的？您说，麦克肯农小姐！如果您有充分的理由，都梅斯尼尔可以留在这里 —"

他惊讶地看着她，突然开始豁然明白了：或许她是想先三个人一起去，然后在和他单独在一起，而不是要都梅斯尼尔陪在身边？但是不对 — 这样的想法是似乎是太可笑太自恋了，绝不能这样想。然而这个想法使他兴奋，到达芒通镇后他们三人一同向上沿路去往别墅，他让都梅斯尼尔注意观察詹姆森住的建筑的前面，如果发现他进出别墅立刻通知他。为准确起见，他给了都梅斯尼尔他所带来的詹姆森的画像，并详细描述了詹姆森如何改头换面掩人耳目的。之后他去见德拉科夫人，这位夫人仍然还穿着睡衣，显露着这个国家一些女人的虚荣，当然这无可指责。她极力地要穿戴好衣服，来见她的新房客，或多或少地，仍然还是单身男士吧。这时都梅斯尼尔快速地穿过橄榄树林过来，莫腾看得出他一定有了不小的收获。

"发生什么事情了？"他问他。

"来了一辆汽车！"

"车上人多不多？"

"人不多，好像在等他。"

"好像这辆车开往蒙特卡洛，或者是尼斯。"

"我可以跟着他吗？"

"不，那没没什么意义，我们现在要注意的是避免一切引起他怀疑的事情。不到万不得已，不能在他面前暴露我们自己。"

"好，明白！我在一个并不稠密的树丛中发现了一个绝佳的观察位置，大约上行100步远，在那里我可以清楚地观察整个别墅。"

"好，马上回到那！"

"如果詹姆森离开别墅，我做什么？"

"立刻通知我！"

都梅斯尼尔又回到了观察位置，莫腾来到了花园寻找艾迪特，她同德拉科夫人的谈话并不着急。

莫腾小心翼翼地靠近花园的后边界，他看见艾迪特蹲跪在柳条篱笆后，在篱笆的另一侧至少距离艾迪特有十步远的地方，詹姆森站在吊床旁，伍德维尔小姐躺在吊床上。没有看见护士，可能詹姆森把他支开了。

莫腾躲在粗大的梧桐树后，昨天他和艾迪特就是躲这里的。

"我要求"，他听到詹姆森压低声音但却十分坚定对伍德维尔小姐说，"你给我做点事情，我曾经跟你说过我哥哥有一次表达过这样的要求。此外我也说过，他希望看到你就是他难以忘却的爱丽丝史密斯。他完全被这种想法所束缚，以至于他认为他创造或塑造的就是真实的现实的。所以他才会指令里昂信用银行来支付爱丽丝史密斯小姐的费用。如果你现在拒绝在邮递员面前签署汇票收据，而那位邮递员又极为固执地必须要看见你亲手用爱丽丝史密斯的名字签名，这个收据会被退回，我们就不会再收到在这里生活的费用，你知道这将会给你带来什么后果？"

她默默地看着他，惊恐的眼睛睁得大大地。

"那时你就会到医院，躺在破烂的稻草床上"，他狠狠地说道，"在大的病房里，躺着的都是病危和要死了的病人，然后你就会被转运回伦敦，在寒冷的雾都结束生命！"

"怎么都行，只有这样不行！"病人开始呻吟，"我只待在这里有阳光有温暖的地方！"

"那就要做该做的事情，那样你才能留在这里！"

"造假，我的天呐！"

"笨蛋！我已经将这件事跟你说的明明白白！没人认为这时做假！这对你是有利的，我不能再一遍又一遍地为了你的事情而不断解释！装睡的人，永远叫不醒，将来自己受罪。你是想签字呢，还是要回英国？"他的声音变得越来越大，越来越粗野；由于激动，在这一刻他似乎忘记了他一贯的谨小慎微。

"我不签！"她呻吟道，"我不签！"

"你疯了吗？"他大声喊道，她的拒绝完全让他措手不及，这不仅会使他损失一大笔钱，而且很可能使他的全部计划泡汤。单凭信用支票他不能自己给自己付款；他必须告知银行爱丽丝史密斯病了，并附上有她签名的信用支票他才能要求银行汇款。他原来设想伍德维尔小姐不会拒绝用爱丽丝史密斯的名字签名。但如果公众知道所谓的爱丽丝史密斯拒绝签署汇款收据，保险公司就会介入调查，这是完全有可能的，那时不就会对所谓爱丽丝史密斯死亡身份引起怀疑了吗？

詹姆森犹豫了一会儿，气得牙根直痒，然后仍然又靠近她，眼睛里流露着凶狠的决定。

"我不得不说"，他轻声但恶狠狠地对她说，"由于你的不明智丧失了一切，或者你签字 — 或者就去死！"

"可怜的上帝！你要杀死我吗？"

詹姆森没有回答，但从他的眼中可以看到冷酷可怕的决定，他的右手迅速抓起一个盖在女病人虚弱身体上的一个毯子。

莫腾想先跳过去保护这位可怜的受害者免于受到伤害，而此时艾迪特已经率先行动了。艾迪特再也不能眼睁睁地看着这位可怜的女人受到伤害而无动于衷，毅然跳了起来。"不要在妄想第二次谋杀了，弗朗哥詹姆森！"从她嘴中发出了响亮的声音。

面对突然出现的意外状况，詹姆森的脸色立刻变得苍白起来，慌乱中他抓住拴着吊床的树干稳住了自己。他意识到，所有的一切现在都失去了。

他沮丧到了极点，迅速地四下环顾，以使自己确信，艾迪特就是一个人。然后他离开刚才抓住的树干，迈步走向艾迪特，全然不顾失去意识而闭上了双眼的女病人。

"这里 — 麦克肯农小姐！"他喊道。由于高度的紧张他的声音变得有些沙哑，极力控制自己的恐惧给他带来了巨大的压力，"我倒是要问问你，你说这话是什么意思？"

"请你立即停止继续作恶了，是你杀害了我的可怜的好朋友爱丽丝史密斯！"

"你知道的太多了，麦克肯农小姐！这对你没什么好处！实在抱歉了，我要封住你的嘴！"

他奸笑着冷嘲热讽了几句，迅即从口袋里掏出手枪，瞄准艾迪特就要开枪。

但，就在子弹还出枪管前的一刹那，莫腾已经冲了过去将艾迪特扑倒在地。他意识到有个东西打了他的头一下，但全然没有感觉。确认艾迪特没有受伤，他跳过柳条篱笆以极快的速度追赶詹姆森，詹姆森意识到陌生人的追赶立刻逃跑，冲进了别墅里面，迅速关上了通往花园的门。莫腾想打开门，无论怎样努力也无济于事，詹姆森已经在里面插上了插销。

莫腾刹那间想起了都梅斯尼尔告诉他的线路，立刻从隔开花园与橄榄林的柳条栅栏上跳了过去，而这时詹姆森没有等司机就跳进车里将车发动了起来，此时莫腾出现在了别墅拐角的前面。车刚启动速度并不快，莫腾猛地一个飞跃扑了上去。詹姆森极力加速，但是在他成功逃脱前莫腾还是跳上了车。莫腾上来后几乎同时用两只大手紧紧地掐住了他的对手的脖子，无论詹姆森怎样挣脱都无济于事。

汽车快速地向前横冲直撞，越来越疯狂，两个互不相让的对手完全不顾随时都有车毁人亡的危险。詹姆森的眼睛在莫腾手指的压力下几乎蹦了出来，他成功掏出来的手枪，在逃跑过程中又自然地放回了口袋。当他再次想拿出手枪的时候，突然震耳欲聋的声音爆发出来，汽车撞到了一块拦路石头上，瞬间四分五裂狼藉一片。车上的两个人都被甩到了橘树林边的斜坡上，失去意识动弹不得。

当莫腾从昏迷中醒来的时候，他看到艾迪特满眼泪水，从心里发出的爱注视着他。她把他的头抱在怀里，用她的手帕尽力止住流血，伤口是詹姆森的子弹从左侧射中的。莫腾用他的左臂做支撑想要坐起来，但是随着一声低沉的呻吟，他又倒了下去，左臂已经摔坏了。
"詹姆森在哪里？"他问道。
艾迪特用手指指向了只有几米远的一个地方，"他的灵魂已经在接受上天的审判！"她严肃地说。
她又若有所思摇了摇头。"好像他摔到地上的那一刻还活着"，都梅斯尼尔过来报告，"他被甩到一个树干上，头部狠狠地撞了上去，以至于颅骨都粉碎了。不过特派员先生您放心，我已经派一个围观的人去找医生，应该很快就到。"
"头上的小伤口没多大关系，"莫腾说道，尽管艾迪特反对，他还是摸了一下，" 至少希望这只胳膊能尽快好起来。"
很快来到的医生也安慰他，"胳膊是脱臼了"，在仔细认真地检查，并且包扎好了头部后医生说道。"我们马上重新接上，休息一周后一切都会正常！"—
莫腾不得不休息了一周，由于艾迪特无微不至的关怀，似乎感觉过得很快，尽管他一再表示艾迪特没必要这样事无巨细，悉心照料。她只是偶尔离开去看望伍德维尔小姐，人们劝她就认为伯克先生去旅行了，但和他在一起的每一刻对她来说都是一场恶梦。她希望自己能住在这里，希望能恢复健康，但只是过了没多久，在一次窒息后结束了她年轻的生命。
克鲁斯发来了电报，说，在维也纳用詹姆森名字的先生与詹姆斯不是太像。莫腾促使维也纳警方对他进行了调查，确认詹姆森并没有让他知道他的邪恶计划，冒名顶替就是帮詹姆森没有产生什么后果的小忙，这一点是可信的。因此没有理由阻止他返回芝加哥。
当莫腾重新又能散步的时候，他和已经成为他名副其实的恋人艾迪特，按照他的要求他们又来到了蒙特卡洛的海边那个曾经月光如水的夜晚他们曾经站立过的地方。

"那时你问我"，她亲昵地靠在他的情人身旁轻声说，"为什么这样高兴，我回答我将来会告诉你的。你还记得吗？"

"我差不多能仍然记住我们那时说的每一句话，每一个词！"

"现在你想知道答案吗？"

"当然想！"

"我那样的高兴是因为 — 是因为我知道你爱我！"

"是什么使你认识到这一点的？我连相关的一个词也没说啊，可能只有我自己知道这一点！"

"你的眼睛告诉了一切！我看出来，当我们站在悬崖那儿的时候你是多么急切地想亲吻我！"

"是的，是那样！你不能想到，我是用了多么大的力量才克制住我没有那样做！"

"你真是一个 — 十足的大傻瓜！"

翻译后记

世界语作为人造语在开始学习的时候，和英语相比是非常简单的，尤其是对先学习了英语的人。但是当你想要读一本世界语小说的时候，你就会发现，事实上它是和英语一样难的，特别是对中国人，因为汉语和欧洲语言是完全不相同的。我这样说是因为翻译这本小说对我来讲是一个巨大的任务和挑战。

衷心感谢韩国釜山教授张祯烈的信任，支持和鼓励，我才有勇气来翻译这本小说，可以说没有他的帮助，就没有出自我手的这本小说的中译本。同时也感谢中国世界语读书小组的弓晓峰教授，刘明辉先生和小组内其他成员，是他们给我提供了这本小说的阅读和指导。

从世界语将小说翻译成中文不仅需要对世界语小说原文的准确理解，而且也需要极高的中文驾驭能力，很遗憾我在这两方面都没有达到这样的高度，虽然我是一个中国人。所以这个中文译本一定存在很多不足之处，任何批评都是可以接受的。

张伟
2022年10月4日于中国丹东

Postparolo

Esperanto kiel malnatura lingvo estas pli facila ol la angla, kiam vi lernas ĝin komence se vi lernus la angla, sed kiam vi volas legi romanojn de Esperanto, eble vi devus trovi, fakte, ke ĝi estas malfacila kiel la angla, speciale por ĉinoj, kies lingvo tute diferencas de eŭropaj lingvoj. Mi diras tion ĉar traduki ĉi-romanon estas, por mi, giganta tasko kaj defio fari.

Gandan dankon al sinjoro Ombro（张禎烈）, profesoro kaj redaktoro de TERanidO, sen lia kredo, subteno kaj instigo al mi, mi ne havus la kuraĝon traduki ĉi-romanon. Mi volas diri ke ne estus la ĉina traduko de ĉi-romano el mi sen lia helpo. Ankaŭ mi dankas profesoron Gong Xiaofeng(Arko), sinjoron Liu minghui(Karilo) kaj aliajn membrojn en Ĉina Legogrupo, kiu donis al mi ĉi-romanon legi kaj direkti.

Traduki romanoj de Esperanto al la ĉina ne nur bezonas kompreni la originalan tekston, sed ankaŭ la sufiĉan kapablon uzi la ĉinan majstre. Bedaŭrinde ambaŭ lingvojn mi ne atingas la altecon, kvankam mi estas ĉino. Do, en mia traduko devus esti multaj lokoj de malkontenteco, eĉ eraroj. Ĉiuj kritikoj estas bonvene permeseblaj.

Zhangwei en Dandong, Ĉinio
la 4a de Oktobro, 2022

Recenzoj pri la romano

"Vera policromano. Temas ne nur pri terura krimo kaj lerta trovado de l' krimulo tra diversaj aventuroj kaj landoj, sed ankaŭ pri amnaskiĝo kaj ĝia evoluo al edziĝo inter la ĉefpersonoj. La verkisto mirinde uzas nian lingvan riĉecon."
–G.S., Esperanto, 1921, p. 55.

"Tiu interesa romano aperis iam dum la milito en la "Internacia Bulteno" eldonita de Germana E. Servo. **Sub la rubriko Literatura Revuo de Januaro 1918 ĝis Januaro 1919.** Vera romano ĝi estas. La aŭtoro posedas veran talenton de verkisto kaj la stilo tre agrabla."
–Courtinat: Historio de Esperanto, 1964

"Tiu ĉi romano estas tipa el sia epoko, nek pli nek malpli bona ol centoj da aliaj. La detektivo estas ja policano, kriminal-komisaro von Merten, kiu havas sian helpanton kriminal-policanon Kruse, sed ili ŝajnas sufiĉe sendependaj de pli alta oficiala kontrolo. **Von Merten ŝuldas al Sherlock Holmes dian deduktan metodon** –kaj eble ankaŭ sian pligrandigan lupeon."
–**William Auld: Vereco, distro, stilo.** 1981.

"Esperanta krimromano tamen aperis jam en 1920, do inter la plej frua deko de originalaj romanoj. Ĝi estas 'Pro kio?'. Tiu verko delonge estis ne plu havebla, sed en 2008 ĝin reeldonis Mondial en formo iomete lingve reviziita....legante ĝin kiel tiel tian, kaj konsiderante la fruan aperjaron, **mi trovas la verkon surprize bona.**"
–Sten Johansson